OPERACIÓN «FUERA PAÑALES». LA GUÍA DEFINITIVA

Jo Wiltshire

OPERACIÓN «FUERA PAÑALES»

LA GUÍA DEFINITIVA

¡Descubre el método más apropiado para tu familia y tu hijo/hija!

Traducción de JULIA ALQUEZAR

editorial juventud
Barcelona

Edición original publicada en inglés por Crimson Publishing,
Westminster House, Kew Rd., Richmond TWA9 2ND, R. U.

Provença, 101 - 08029 Barcelona
info@editorialjuventud.es
www.editorialjuventud.es

Traducción de Julia Alquezar
Primera edición, 2011
Depósito legal: B. 2.016-2011
ISBN 978-84-261-3823-1
Núm. de edición de E. J.: 12.327
Printed in Spain
LIMPERGRAF, S.A., Avda. Mogoda, 29 - Barberà del Vallès

Prólogo

POR DR. SANTIAGO GARCÍA-TORNEL*

Algo tan rutinario y, aparentemente, tan sencillo como orinar y defecar necesita un aprendizaje correcto. En la mayoría de los casos la enseñanza del control de esfínteres suele hacerse sin traumas ni complicaciones, pero si los padres no usan el sentido común, o bien el temperamento del niño es oposicionista, desafiante o poco colaborador, puede convertirse en una tarea ardua, frustrante y con consecuencias nefastas para el niño. Un mal aprendizaje puede llevar a algunos niños a sufrir trastornos en la micción (incontinencia), en la defecación (encopresis), a sentir rechazo a sentarse en el orinal/váter, y puede hacerles perder la paciencia a los cuidadores.

Yo veo desde la consulta del hospital infantil los dramas de una mala o incorrecta enseñanza del control de esfínteres, centrados en los dos aspectos: la incontinencia urinaria y la encopresis. En nuestro hospital, como en muchos otros de países desarrollados, disponemos de un programa dedicado a tratar estos problemas siguiendo la iniciativa pionera del Dr. Barton Schmitt, del Children's Hospital de Denver, del que he aprendido mucho.

* Servicio de Pediatría del Hospital Sant Joan de Déu de Barcelona.

Y al leer este libro, creo que los padres pueden encontrar en él un filón de ideas que sorprendentemente están encuadradas en cuatro sistemas de enseñanza meticulosamente detallados: precoz, intensivo, puntual y sosegado; cada uno con consejos básicos para niños y niñas así como para la resolución de conflictos.

A propósito del apartado de este libro titulado «Terminología del lavabo», deseo añadir una sugerencia. Con la mejor voluntad, los papás intentan enseñar y educar a sus hijos frente a los peligros físicos, químicos y elementos transmisores de infecciones que puedan contagiarles o sean contaminantes. Cuando el bebé va creciendo, se desplaza sin parar de un lugar a otro de la casa con una velocidad supersónica y, además, lo toca todo. Quizás la única ventaja de esta actividad para los papás sea que estos adelgacen y aumenten su agilidad debido a la constante persecución de ese todoterreno. En ese proceso de enseñanza, es bastante común que los padres y, especialmente los abuelos «a la antigua» le indiquen los peligros contaminantes con la frase: «No toques eso, porque es caca». Así, la palabra «caca» se convierte en un signo de alerta o peligro habituales. Bien, el nene va creciendo y hacia los dos años llega el momento de enseñarle a hacer sus necesidades en el orinal. Él sabe lo que significa «pipí», porque es la única palabra que se ha referido siempre a la orina. Pero, amigos, ¿cómo decirle que haga «caca» en el orinal? Pobrecito, debe de pensar: «mis padres están como una cabra, ¿cómo hago la «caca» en el orinal si está a mi alrededor y por todas partes?» Efectivamente, ha oído la frase cientos de veces: «Eso es caca». Menudo dilema, y encima no es prestidigitador. Esta confusión puede retrasar el aprendizaje del control de sus esfínteres. Por este motivo, al bebé y al niño pequeño se les debe dejar bien claro desde siempre que el «pipí es pipí» y «la caca es *su* caca». Todo lo demás está «sucio». En resumen, desde bebés deben aprender que la palabra «caca» solo debe referirse a las deposiciones tanto suyas como las de los demás. Al crecer, si le decimos que ha de hacer caca en el orinal, lo entenderá perfectamente. Parece un hecho insignificante pero no lo es, incluso puede retrasar el aprendizaje del control de sus esfínteres.

En los países occidentales hay una tendencia a retirar los pañales al niño lo antes posible. Desde luego cuanto antes controle sus esfínteres más ahorro en tiempo y dinero, tanto para la familia como para la guardería, y probablemente ese sea el motivo más importante para hacerlo. Sin embargo, para quitarles los pañales, los niños han de estar preparados física y emocionalmente. No se debe atosigar al niño para que controle el pipí y la caca lo más precozmente posible. Si no se sigue el método correcto puede resultarle perjudicial. Asimismo, empieza a ser preocupante la cantidad de niños que se ven en las consultas pediátricas con un problema que en términos no médicos se puede calificar como «miedo a defecar», como consecuencia de ese empeño de retirarles los pañales «de golpe», sin que sea el momento apropiado para el niño.

A modo de ejemplo, hagan la siguiente experiencia: cámbiense el reloj de la muñeca habitual a la otra y estarán muy incómodos; llevarlo siempre en el mismo lugar hace que ni siquiera lo notemos. En el mismo momento del nacimiento al bebé ya se le pone un pañal que será su «segunda piel» durante mucho tiempo y el lugar cómodo para hacer caca y pipí. Al quitarle el pañal, aún le puede resultar fácil dominar su vejiga pero para hacer caca se sienten desamparados, no saben dónde hacerlo, se retienen, se esconden, aprietan las nalgas para que no se les escape y empieza un calvario de estreñimiento y miedo a defecar. A la larga puede desencadenar una encopresis (ensuciamiento involuntario de la ropa interior) de difícil tratamiento, que puede provocar la desesperación de los padres, rechazo y burla de los compañeros y, a la larga, una muy baja autoestima.

Si todos los padres realizaran la *Operación «fuera pañales»* como recomienda la autora de este libro, Jo Wiltshire, el aprendizaje del control de los esfínteres sería rápido, feliz, divertido y sin traumas psicológicos para el niño. Y, por ende, los pediatras no deberíamos tratar trastornos de la eliminación por una enseñanza errónea.

Prefacio

«Soy insensible a la caca, a los mocos,
a la orina y al vómito. No me pillarán.
No pueden conmigo.»

Brad Pitt

Estoy a punto de empezar a enseñar a mi segundo hijo, Charlie, a que use el orinal. Tiene dos años y casi dos meses.

Probablemente, solo con este dato, la mayoría de los lectores ya se habrá formado una opinión de mí. Algunos pensarán que es un buen momento para empezar. Otros, en cambio, no verán necesario apresurarse tanto, y creerán que es preferible esperar a que el niño esté listo. Y tampoco faltará quien se escandalice y exclame: «¡Santo cielo! ¡Si ese chico ya está casi en el instituto! Hace un año que alguien debería haberle enseñado a usar el orinal».

Esta diversidad de opiniones nos señala dónde reside el principal problema para tratar este asunto: tu bebé no lleva ningún manual atado a su pie izquierdo que pueda informarte exactamente sobre cuándo está preparado para empezar a hacer pis en un orinal ni cuál es el mejor momento para dar el pistoletazo de salida a la operación «fuera pañales».

En lugar de eso, los padres deben enfrentarse a la que parece haberse convertido en la forma estándar de dar consejo a los padres modernos: una multitud de voces «expertas», bastante estridentes, que defienden su método a capa y espada, como si fuera una especie de Grial místico. A esto, debemos sumar el aluvión de historias acusadoras encaminadas a convencerte de que, elijas el método que elijas, serás intrínsecamente egoísta y acabarás haciendo daño a tu bebé de maneras inimaginables. Ah, y por supuesto, no debemos olvidar que tus seres queridos estarán encantados de compartir contigo sus opiniones sin que tengas ni siquiera que pedírselo.

Operación «fuera pañales» pretende ser una brisa fresca en este ambiente enrarecido que rodea al proceso de aprendizaje del uso del orinal. En este libro, no hay sermones. En ninguna parte leerás que el método que estás considerando esté equivocado, y mucho menos que hay una única manera adecuada de hacerlo. Tampoco asumimos que tú y tu bebé tengáis una vida de libro de texto que deba adaptarse a un método determinado rígidamente y sin concesiones.

Este libro está concebido como una guía útil con una amplia gama de enfoques para el aprendizaje del uso del orinal y el aseo pero no fomenta ningún método en particular. Nos hemos esforzado por tener en cuenta las diferentes necesidades de las familias y la personalidad propia de cada bebé, todo ello con el objetivo de encontrar la solución que más convenga a tu hijo.

- ¿Quieres que el aprendizaje para el uso del orinal sea breve y efectivo, aunque sea un poco brusco?
- ¿Tienes un plazo breve para que tu bebé deje los pañales, o necesitas hacerlo durante unas vacaciones escolares?
- ¿Hay otro hermano en camino y quieres intentar enseñar al bebé a usar el orinal a una edad temprana?
- ¿Sigues una rutina con tu bebé y te gustaría que el aprendizaje para usar el orinal formara parte de ella?
- ¿No aguantas las peleas y lágrimas y buscas un método tranquilo y libre de estrés para seguir?

Este libro contiene todas las respuestas, acompañadas de opiniones expertas y consejos de padres que han probado cada método.

El proceso para que tu hijo aprenda a controlar sus esfínteres a menudo desemboca en un trauma familiar. Al contrario que los «temas trascendentales» como dormir y comer, este no ha sido una «constante» desde el primer día, ni ha formado parte de la vida cotidiana.

En lugar de eso, es un tema que se plantea justo cuando los padres sienten que empiezan a reconducir el caos que provocan los primeros meses del bebé y cuando la vida de la familia parece que empieza a volver a la normalidad. Entonces, de repente, un pequeño orinal de plástico y la cuestión de si hay o no hay algo en él se hacen con el dominio de la vida familiar.

En este libro, no encontrarás una lista de cosas que hay que hacer y cosas que no hay que hacer, sino la información y los consejos necesarios que te ayudarán a decidir qué quieres hacer y cómo quieres hacerlo. Y aquí te ayudaremos a llevarlo a cabo.

Si quieres deshacerte de los pañales a *tu* manera, lee *Operación «fuera pañales». La guía definitiva* ¡Una vida sin pañales y con sábanas secas te espera! Por supuesto, tendrás que sortear unos cuantos charcos, o incluso muchos, pero al final la conseguirás. Aférrate a esa idea y empecemos. Y recuerda, ¡una vez lo consigas, lo será para siempre!

Introducción

«Un niño no puede llegar muy lejos si no aprende
a controlar sus esfínteres. No es ninguna
coincidencia que a seis de los últimos siete
presidentes les enseñaran a hacerlo,
por no mencionar a casi la mitad de los
legisladores de estado de la nación.»

Dave Barry, cómico norteamericano

¿QUÉ MÉTODO PARA APRENDER A USAR EL ORINAL ES EL MÁS ADECUADO PARA TU BEBÉ?

¿No estamos todos hartos de que nos digan lo que tenemos que hacer?

Hay muchísimas personas que tienen opiniones inamovibles sobre cuestiones que tienen que ver con el cuidado de los niños y la paternidad: autores, instituciones del gobierno, profesionales de la salud, periodistas, famosos... Y sí, puedes replicar que yo también soy una de esas personas. No obstante, mi único deseo es ayudarte a tomar tus propias decisiones.

Muchas guías para padres proporcionan información valiosa y son una tabla de salvación para ellos. Por supuesto, es positivo que los padres tengan abundante información al alcance de la mano sobre cada aspecto de la crianza de los hijos, en lugar de estar limitados a tener que actuar igual que sus propios padres. Como mínimo, podemos informarnos antes de tomar decisiones.

Sin embargo, esta situación plantea un problema. ¿Dónde ha quedado la libertad para elegir en paz? ¿Por qué cuesta tanto aceptar que los padres poseen la inteligencia suficiente para decidir qué es lo mejor para su familia, sin tener que soportar continuas intromisiones del mundo exterior?

Cuando llegue el momento de enseñar a tus hijos a usar el orinal, probablemente ya habrás tenido que hacer frente a muchas opiniones de expertos, a problemas de horarios y a preocupaciones por otros aspectos de la vida de tu hijo, como el sueño o la alimentación. Debes de estar totalmente saturado de libros sobre bebés.

Si te fijas con detenimiento, comprobarás que los mismos gurús que te ayudaron en los primeros momentos siguen diciéndote cuál es la manera correcta de enfocar el aprendizaje para prescindir del pañal. Quizá te resulte un alivio o quizá quieras una alternativa. En cualquier caso, la idea de pasar por ello solo y actuar siguiendo tu instinto te asusta. ¿Y si te equivocas?

En el momento de escribir este libro, apareció una noticia en la prensa en la que se decía que los profesores culpaban a los padres –que «estaban demasiado ocupados para enseñar a sus hijos a controlar sus esfínteres»– del creciente número de niños que usaban pañales en la escuela (*Daily Mail*, 3 de agosto de 2009). En el artículo se usaban muchas palabras cargadas de emotividad. Se afirmaba que los padres habían «fracasado en enseñar a sus hijos a controlar los esfínteres», y que esa situación había obligado a los «consternados profesores» a negar la entrada a los cada vez más numerosos alumnos que seguían llevando pañales o que se mojaban o ensuciaban. El retraso en el aprendizaje se atribuía a la falta de tiempo de las madres trabajadoras, que no podían enseñar a sus hijos a usar el orinal; a unos padres menos estrictos y menos presionados para cumplir con las obligaciones; y al uso de pañales desechables (que eliminan las molestias de tener que lavar un pañal sucio). Por encima de todo, el tema estaba enfocado desde la más profunda desaprobación. Como madre, sentí que tendría que enfrentarme a una severa reprimenda si no conseguía que mi hijo Charlie fuera capaz de controlar perfectamente su vejiga y sus intestinos, cuando empezara preescolar después de Pascua.

Así que reflexioné mucho sobre las opciones de los padres, y, por supuesto, sobre los diferentes métodos para enseñar a controlar los esfínteres que los padres tienen a su disposición. La mayoría de las «autoridades» en temas de paternidad han dado consejos sobre el tema, como ya se imaginará. Probablemente, la mayoría de estos métodos acabará funcionando: si eres fiel a uno de ellos durante el tiempo suficiente, con la determinación y la voluntad adecuadas, conseguirás resultados, y más teniendo en cuenta que los niños prosperan gracias a la repetición.

Básicamente todo se reduce a saber qué método se adapta mejor a tu vida y a la personalidad de tu hijo.

Sigue leyendo y, una vez hayas elegido un método, adéntrate en él con el espíritu de un guerrero que se dirige a la batalla con un quitamanchas y nervios de acero, y tú y tu hijo saldréis victoriosos. Y sin pañales.

CÓMO USAR ESTE LIBRO

El objetivo de este libro es presentarte las opciones que tienes de manera clara y comprensible. En él se explica qué método es el más adecuado para cada tipo de bebé y de familia, encontrarás opiniones de padres reales y también te enseñaremos cómo seguir esos métodos.

Cada capítulo se centra en uno de los grandes pasos del aprendizaje en el control de esfínteres (desde los preparativos para empezar bien, hasta conseguir unas noches secas).

En cada capítulo se discuten estas cuestiones desde cuatro enfoques diferentes, que yo denomino:

- Precoz
- Intensivo
- Puntual
- Sosegado

Agrupan los métodos más conocidos para abordarlos desde un enfoque claro y sencillo, según sus ritmos, valores y atractivos distintivos. A continuación, se explican brevemente estos cuatro grupos.

PRECOZ

Este epígrafe engloba los métodos que permiten que un niño controle sus esfínteres a una edad muy temprana: es el *enfoque tradicional.*

El enfoque Precoz es el adecuado para familias numerosas con bebés en camino, y en las que los niños deben ser capaces de asumir la responsabilidad de sus necesidades higiénicas a una edad muy temprana. Este enfoque puede ser adecuado para un niño que acepta bien las instrucciones y que tiene una naturaleza tranquila. Requerirá una gran dedicación e implicación por parte de los padres, así como atención constante. Podría no ser adecuado para aquellos que no puedan o no quieran ponerse manos a la obra con el trabajo duro muy pronto, o que crean que «estas cosas llevan su propio ritmo».

> «Este método no garantiza necesariamente éxito en el aprendizaje del control de esfínteres, consume mucho tiempo y requiere un alto grado de compromiso.»
>
> June Rogers, experta en continencia.

> «Practicamos el colecho con Lola, y nos pareció una progresión natural adoptar un enfoque "natural" similar para enseñarle a dejar los pañales. Sí, requiere mucho trabajo, pero te ayuda a sentirte cerca de tu bebé. No puedo imaginarme haciéndolo de otro modo. Ahora tiene un año y casi no ha tenido accidentes.»
>
> Jane, madre de Lola, un año.

¿Te parece que suena bien? Entonces, es probable que te gusten los métodos de Laurie Boucke; de la Dra. Linda Sonna; y Christine Gross-Loh.

INTENSIVO

Comprende los métodos que consiguen un entorno seco y limpio en un periodo breve de tiempo: el *enfoque rápido*.

El enfoque Intensivo es fantástico para padres que quieren que su hijo aprenda a ir al baño en un periodo de vacaciones a medio plazo, durante unos días libres en el trabajo, antes de una fecha importante, o que quieran hacerlo, incluso, ¡en un día! Será perfecto para aquellos que no puedan soportar la idea de inacabables semanas de accidentes en la alfombra o largas negociaciones con un pequeño que no da tregua. Podría no ser muy positivo para bebés muy jóvenes o nerviosos, o para padres que no puedan dedicar un periodo de tiempo al proceso. De nuevo, el éxito en un marco temporal preciso no está garantizado.

> «Se ha demostrado que este método es menos efectivo sin supervisión profesional. También lo es si el niño bebe poco o no puede aumentar su ingesta de líquidos.»
>
> June Rogers, experta en continencia.

«Empezamos con George un mes después de su segundo cumpleaños y estuvo seco durante el día tras una semana. No sé si tuve suerte o si mi hijo era muy inteligente.»

Nikki, cuidadora y madre de George, de seis años.

¿Te gustan como suena? Entonces, probablemente te interesarán los métodos de Gina Ford; de la doctora Suzanne Riffel; del doctor Phil; de Narmin Parpia; del doctor John Rosemond; de Nathan Azrin y de Richard Foxx.

PUNTUAL

Aquí se engloban los métodos que servirán a los padres que siguen unas rutinas fijas, con unas horas de sueño y de siesta definidas: el *enfoque estructurado.*

El enfoque Puntual es perfecto para los padres y bebés que han seguido una crianza basada en una rutina diaria y a los que les preocupa que un cambio tan importante en el estilo de vida desbarate su calma habitual. Es muy adecuado para niños acostumbrados a una rutina predecible y definida, así como para familias con unos horarios firmemente estructurados. Puede no ser adecuado para las familias más laxas cuyas rutinas fluctúan o para padres que necesitan espontaneidad o que se sienten restringidos por un horario.

«Para que este tipo de método tenga éxito, hay que tener las cosas claras y los padres deben centrarse casi exclusivamente en enseñar al niño a dejar los pañales.»

June Rogers, experta en continencia.

> «Stanley y Poppy están acostumbrados a seguir una rutina, así que quisimos enseñarles a dejar de usar pañales del mismo modo. Stanley aprendió en tres o cuatro semanas cuando tenía dos años y medio, y Poppy está a punto de empezar. Debes dejar otras cosas de lado durante un tiempo, pero también implica tranquilidad y constancia, y no se tarda demasiado tiempo en ver resultados.»
>
> Alex, padre de Stanley, de cuatro años, y Poppy, de dos.

¿Crees que suena bien? Entonces, es posible que te gusten los métodos de la doctora Suzanne Riffel y de Gina Ford.

SOSEGADO

Bajo este nombre, englobamos métodos que persiguen un entorno seco y limpio sin lágrimas ni estrés: es el *enfoque sin llanto*.

Los métodos del enfoque Sosegado son geniales para familias que necesitan ser flexibles y para padres a los que no les gusta la idea de forzar la cuestión y causar estrés a sus hijos. Podrían ser adecuados para aquellos que siguen la teoría de la crianza con apego, pero no tanto para familias que necesitan que sus hijos dejen los pañales antes de una fecha límite, para aquellas que siguen una estricta rutina y que se sienten incómodas con un enfoque libre y sencillo. Asimismo, tampoco se aconseja a las familias cuyos hijos deban empezar a ir al parvulario o a una escuela que no admita a niños con pañales.

> «Se ha demostrado que aplazar el aprendizaje para usar el orinal aumenta el riesgo de que el niño desarrolle problemas de vejiga e intestinos más adelante, así como que se mojen durante el día o que se acostumbren a ocultar las ganas de ir al baño.»
>
> June Rogers, experta en continencia.

«Yo soy de las personas que piensan que es mejor esperar a que el niño esté listo. Mis tres hijos solo han tenido un puñado de accidentes después de que decidiéramos meternos de lleno en el tema. Cuando empezamos, los dos niños tenían ya más de tres años, una edad demasiado tardía para algunas personas. Yo preferí esperar que apresurarme y arriesgarme a sufrir varios accidentes al día durante semanas, o incluso meses.»

Sharon, madre de Callum, de seis años,
Vincent, cinco, y Lauren, cuatro.

¿Te suena bien? Entonces es posible que te interesen los métodos del doctor Benjamin Spock; de T. Berry Brazelton; del doctor Sears; de Tracey Hogg, (The Baby Whisperer); de Elizabeth Pantley; y del doctor Sears.

NIÑAS Y NIÑOS

Uno de los factores que complican el proceso es el sexo del bebé, ya que, al contrario que en muchas otras áreas, la situación cambia considerablemente según se trate de un niño o de una niña. Muchos otros temas como el sueño o la alimentación pueden verse ligeramente influidos por la mentalidad y la personalidad de los diferentes sexos, pero cuando estás enseñando a tu hijo a dejar los pañales, tienes que tratar con diferencias y necesidades físicas obvias.

Por tanto, en todos los capítulos de *Operación «fuera pañales». La guía definitiva* encontrarás apartados con los títulos *Guía para niñas* y *Consejos básicos sobre niños*. En ellos, se indica en qué puede diferir cada método en particular según se use con chicas o con chicos, y se dan consejos especiales para ayudar a que un método particular funcione más fácilmente con cada sexo.

LA VIDA REAL Y EL CONSEJO DE LOS EXPERTOS

Además de una explicación de los cuatro enfoques en cada capítulo, encontrarás trucos, consejos y resúmenes de experiencias de padres que han pasado por todo el proceso.

Cada capítulo contiene también trucos y consejos de June Rogers, que es enfermera pediátrica, consejera sobre continencia y experta en el aprendizaje para el control de esfínteres. June es directora de PromoCon,[1] que tiene su sede en el Centro de Asistencia a Discapacitados de Manchester, y se ha trasladado a Liverpool PTC como Asesora en continencia, especializada en pediatría.

Nota de la autora: Para conferir una mayor uniformidad al texto y facilitar la lectura, nos referiremos al bebé como «él/ellos» o «tu hijo».

1. PromoCon es una institución inglesa que atiende a personas con problemas de vejiga o intestinos ofreciendo recursos y soluciones a profesionales y particulares.

1

Antes de empezar el aprendizaje

«Tuve que aprender a usar el orinal
a punta de pistola.»

Billy Braver, actor y cómico.

Enseñar a tu hijo a usar el orinal no es el tipo de actividad que puede iniciarse de forma intempestiva. Es poco probable que tengas éxito en tu propósito si decides abandonar los pañales para siempre una soleada tarde de domingo, sin un quitamanchas o sin haber comprado previamente unas cuantas prendas de ropa interior divertidas y con dibujos.

Elijas el método que elijas, es más probable que consigas buenos resultados si actúas con cierta sensatez desde el principio.

Me gusta considerar que el aprendizaje para usar el orinal es una especie de guerra; pero no entre tu hijo y tú, pues ambos estáis en el mismo bando; se trata más bien de una batalla en la que un pequeño con dedos inseguros, algo cabezota, con la capacidad de atención de un Teletubbie y el ego de Genghis Khan, se supera a sí mismo y consigue tener un culito seco y llevar la felicidad a la familia. Por tanto, si te adentras en este proceso con un plan de batalla y una armadura decente, saldrás victorioso.

ELEGIR EL MOMENTO

¿Cuál es el momento idóneo para enseñar a tu hijo a controlar sus esfínteres? Veamos, en primer lugar, cuál es el consenso médico general.

En la actualidad, los expertos sugieren que la mayoría de los niños están físicamente preparados entre los 18 meses y los tres años. Sin embargo, eso no implica necesariamente que estén también psicológica o intelectualmente preparados.

La cultura y la época en la que vivimos también influyen en el proceso. Por ejemplo, entre 1920 y 1930, por ejemplo, el aprendizaje temprano y el horario rígido estaban muy de moda, y en 1929 la revista *Parents* afirmaba que la mayoría de los bebés sanos podrían aprender a las ocho semanas de edad.[1] En la decada de los años cuarenta del siglo XX, los expertos en pediatría, como el doctor Benjamin Spock, aconsejaban a los padres esperar hasta que observaran signos de que sus hijos estaban preparados, y defendía que apresurarlos con un aprendizaje rígido podía provocar problemas de comportamiento.

En general, conforme han pasado los años, los padres no están tan a favor de enseñar a sus hijos a controlar sus esfínteres muy pronto (antes de los 18 meses) y se decantan por varios métodos en lugar de ceñirse a uno solo, en concreto, a la simple eliminación del pañal.

Hay incluso diferencias en la edad media de empezar según las culturas, ya que en algunas se tiende a empezar antes, según los expertos en salud.[2]

Dado que todo parece indicar que el momento adecuado para enseñar a un niño a controlar sus esfínteres es muy variable, en lo que debes centrarte es en encontrar el momento correcto para tu hijo. Tal vez, cuando lo intentes por primera vez descubras que no era el

1. Luxem, M., y E. Christophersen, «Behavioural toilet training in early childhood: research, practice, and implications», *Journal of Developmental y Behavioral Pediatrics,* 1994; 15:370

2. Horn, I. B., Brenner, R., Rao, M., y T. L. Chen, «Beliefs about the appropriate age for initiating toilet training: are there racial and socioeconomic differences?» *Journal of Pediatrics,* 2006; 149:165.

momento adecuado (muchos padres y niños no consiguen realizar correctamente el aprendizaje a la primera). A veces, simplemente esperar hasta que tu hijo esté realmente listo puede obrar maravillas.

SIGNOS CLAVE

Hay ciertos signos que te dirán si tu hijo está listo para dejar de usar pañales. Si te decantas por un enfoque Precoz, no deberás aplicar estos parámetros con mucho rigor: cuando usas esos métodos, recuerda que tú, en lugar de tu hijo, estás aceptando la responsabilidad de saber cuándo «empezar». No obstante, si se eligen otros enfoques, vale la pena tener en cuenta la lista de signos que daré a continuación:

Entre los signos físicos se pueden citar:

- Eres capaz de saber si tu hijo está a punto de orinar o hacer caca por sus expresiones faciales, por su postura o por lo que dice.
- Tu hijo permanece seco durante al menos dos horas seguidas.
- Tu hijo hace caca con regularidad.

Los signos intelectuales, cognitivos y conductuales incluyen:

- Tu hijo es capaz de seguir instrucciones simples.
- Tu hijo tiene capacidad y buena disposición para colaborar.
- Se siente incómodo con un pañal sucio y desea que se lo cambien.
- Tu hijo sabe reconocer que tiene la vejiga llena o que va a hacer caca.
- Es capaz de decirte cuándo necesita ir al lavabo.
- Te pide usar el orinal o el váter, o llevar ropa interior normal.

Además te corresponde a ti valorar si estás listo, qué tipo de persona eres, si quieres un método corto, rápido e intensivo, o si puedes soportar un método largo, que requiera paciencia y tiempo; por otro lado, también deberás sopesar si existe alguna circunstancia externa o algún acontecimiento próximo que obligue a empezar inmediatamente.

Asimismo, también hay algunas circunstancias ante las que deberías evitar a toda costa iniciar el proceso:

- Poco antes del nacimiento de un nuevo bebé.
- Cuando cambien los canguros o cuidadores de tu hijo.
- Cuando tu hijo pase por algún trastorno o cambio importante, por ejemplo, cuando empiece a ir a la guardería o al parvulario.
- Cuando tu familia pase por un periodo de cambio, como una mudanza o cambio de trabajo.
- Cuando te sientas particularmente estresado o deprimido.
- Cuando tu hijo esté pachucho.
- Cuando sepas que no vas a tener tiempo de mantenerte fiel al enfoque elegido hasta el final.

Solo una vez que hayas valorado todas estas circunstancias, puedes empezar a decidir qué tipo de método es el más adecuado para ti y para tu hijo, y cuál es el mejor momento para empezar.

Ahora que ya tienes el plan de batalla, llega el momento de llenar tu arsenal de armas.

EQUIPO

Hay un equipo básico que es útil al margen del enfoque que decidas seguir:

- **Orinales**: una herramienta bastante obvia, a menos que optes por enseñar a tu hijo a usar el váter directamente. Compra unos cuantos para tener en las diversas habitaciones, o pisos, de la casa, uno para dejar en casa de la abuela, otro para el coche... En definitiva, ten un orinal donde pienses que puede ser útil y en los lugares en los que tu hijo pase mucho tiempo. Los modelos estándares son muy baratos y no cuesta mucho tener más de uno.

- **Un asiento reductor para el inodoro.** Es una buena idea para quienes se salten el paso del orinal, pero también puede ser beneficioso usarlo mientras se sigan usando pañales, para facilitar la transición.
- **Papel higiénico.** Las toallitas húmedas especiales para niños son también una buena opción. Aunque son un poco más caras, facilitan la tarea de enseñar a los niños a limpiarse bien.
- **Quitamanchas para alfombras en aerosol.** Prueba en un trozo pequeño primero, ya que algunos se comen el color de las alfombras.
- **Una sábana protectora, o una esterilla de plástico** o, simplemente, una cortina de baño de plástico vieja.

> «La pequeña, que tiene cuatro hermanos mayores, quería su propio orinal y no el otro, bonito y caro, que los otros habían usado ya. Le compramos uno rosa, de princesas. Tardó una semana en acostumbrarse a él, pero lo consiguió con bastante facilidad.»
>
> Anton, madre de Jake, 10 años; Eleanor, ocho;
> Buzz, siete; Lara, cinco; y Bibi, tres.

Cuando tengas todos los elementos básicos, solo te queda poner a punto tu equipo según el método que elijas.

PRECOZ

¿QUÉ ES?

El enfoque Precoz suele hacer referencia al «control temprano de los esfínteres», «higiene natural del bebé», «comunicación de

la eliminación» o «método sin pañal». La horquilla de edades para empezar va desde los primeros meses después del nacimiento a los 18 meses.

¿Alguna vez has oído a tu madre o a algún pariente cercano decir que, en su época, los niños dejaban de usar pañales cuando tenían un año? Bueno, pues seguían este enfoque. Ahora bien, aunque algunos de los métodos populares entre 1920 y 1940 se basaban en una disciplina dura y en el castigo, el equivalente moderno evita esa parte, y, en su lugar, favorece la intuición y la comunicación entre el bebé y los padres.

Este enfoque también se fundamenta en la idea de que las madres de épocas pasadas debían arreglárselas sin pañales y en el hecho de que muchas otras culturas, en nuestra época, rechazan el uso de pañales o no tienen acceso a ellos.

Entre los expertos que aconsejan este enfoque podemos citar a la doctora Linda Sonna, a Christine Gross-Loh y a Laurie Boucke. Se considera una forma de enseñar a usar el orinal bastante suave y dirigida por el niño, que requiere aprender el lenguaje corporal de tu hijo, sus horarios, patrones y vocalizaciones.

Este método no es adecuado para quienes sean algo pusilánimes o para quienes vayan cortos de tiempo, ya que exige una observación cercana y una presencia constante.

¿CUÁNDO PUEDO EMPEZAR?

Quienes defienden el enfoque Precoz afirman que se abre una «ventana de aprendizaje» entre el momento del nacimiento y los seis meses, aunque algunos niños son receptivos a este enfoque después de esta edad y puede adaptarse a niños más mayores.

La edad media para completar el proceso se sitúa alrededor de los dos años. Entonces, el niño deja de tener accidentes, pero, muchos meses antes, los bebés suelen adquirir ya un buen control. El conseguir controlar la caca suele suceder bastante pronto en la infancia, pero para hacer lo mismo con el pis se tarda más tiempo.

Debe tenerse en cuenta que este método no es rápido, ya que requiere dedicación, paciencia, perseverancia y capacidad para mantener la calma. Es un compromiso a largo plazo para padres que dispongan de mucho tiempo. Para saber si tú y tu bebé estáis listos para iniciar un método Precoz, debes prestar atención a las siguientes indicaciones o gestos:

- Vocaliza
- Se queja o llora antes, durante o después de hacer caca o pis
- Gruñe antes de hacer caca
- Hace su propio y distintivo «ruido de lavabo»
- Lenguaje corporal
- Se queda quieto o callado mientras hace caca o pis
- Suelta alguna flatulencia antes de hacer caca
- Se pone tenso o rígido
- Se retuerce o se remueve
- Hace muecas
- Se sonroja
- Se queda mirando fijamente a lo lejos
- Pone una mirada de concentración intensa
- Da patadas vigorosamente
- Se coge el estómago y se lo aprieta
- Se palpa o se toca la zona de la entrepierna

¿CÓMO PUEDO PREPARARME?

Puedes incluir las siguientes piezas complementarias en tu equipo:

- Un orinal de aprendizaje, que es esencialmente un orinal pequeño (más que uno normal), que puedes poner debajo de tu bebé mientras esté sentado.
- Un orinal de viaje.
- «Ropa interior de verdad» muy pequeña.
- Calzoncillos y braguitas de aprendizaje.
- Un cuaderno para apuntar los «aciertos y errores», que te ayudará a reconocer las señales de tu bebé.

En tiendas especializadas encontrarás materiales especialmente diseñados para tu bebé.

RECUERDA

En nuestra sociedad occidental contemporánea es habitual iniciar el aprendizaje a edades tardías. Probablemente te mirarán de reojo o incluso tendrás que soportar alguna mala reacción si decides seguir este enfoque, a pesar de que es un movimiento que tiene cada vez más partidarios. En cualquier caso, debes estar muy seguro para poder continuar con el método hasta el final.

Además, recuerda que los bebés hacen pis unas 20 o 25 veces al día. ¿Puedes seguir el ritmo?

> «Cuando le dije por primera vez a mi marido Ant que quería librarme de los pañales tan pronto como fuera posible, se quedó horrorizado, sobre todo porque Lola dormía en nuestra cama. Creo que se imaginó muchas noches mojadas y malolientes. Pero nos aseguramos de que tuviera cerca un orinal y pusimos algunos protectores en la

cama, y enseguida se involucró en el proceso. Cuando la ayudó a hacer su primer pipí en un orinal, se puso a bailar como un loco por la habitación mientras le repetía lo lista que era.»

Jane, madre de Lola, un año.

INTENSIVO

¿QUÉ ES?

¿Cómo de rápido quieres hacerlo? ¿En una noche? ¿En una semana? ¿En un día? Entonces, este es el enfoque para ti.

Sí, realmente hay métodos que te aseguran que es perfectamente posible conseguir que un niño deje de usar pañales en 24 horas.

Hay varios métodos muy conocidos que afirman alcanzar los objetivos deseados en una cantidad mínima de tiempo. El «método en una semana» de Gina Ford es uno de ellos. También encontramos el «método de aprendizaje en un día», que hicieron populares en los años setenta los autores Azrin y Foxx. Más recientemente, el doctor Phil, una figura de la televisión americana, y Narmin Parpia han propuesto métodos similares.

En el método de un día, la idea es eliminar radicalmente los pañales de la vida del niño después de anunciarle esa misma mañana que ya no los usará. Las horas siguientes tienen una estructura definida que proporciona un aprendizaje intensivo. Con suerte, al irse a dormir, el niño ya no usará pañales.

También vale la pena mencionar un método con un título genial (y obviamente americano): «El método del bebé desnudo y los 75 $», propuesto por el doctor John Rosemond. Aconseja dejar al niño desnudo (al menos de cintura para abajo) de tres a siete días mientras aprende a controlar sus esfínteres. La desnudez ayuda al niño a tomar conciencia de sus funciones corporales. Al empezar, los padres deben explicar al niño todo lo necesario, pero a partir de entonces no vuelven a intervenir. ¡Los 75 dólares son para pagar la inevitable factura de la limpieza de la alfombra!

Todos estos métodos requieren que los padres tengan una mentalidad valiente y entusiasta, así como la capacidad de soportar un corto periodo infernal para conseguir resultados rápidos. Más adelante, encontrarás la forma de conseguir un éxito generalmente rápido con las mejores aportaciones de este tipo de métodos.

> «Teníamos un orinal a mano en todo momento e iba continuamente desnuda (¡ella, no yo!). Si hacía pis en el césped, no pasaba nada, pero si usaba el orinal, conseguía una pequeña recompensa.»
>
> Jill, madre de Jessica, ocho años.

¿CUÁNDO PUEDO EMPEZAR?

Quienes decidan seguir este enfoque deben empezar cuando el niño sea capaz de reconocer cuándo necesita hacer pis o caca, y pueda decírtelo. Asimismo, sería preferible que pudiera llegar a un váter (lo que posiblemente conllevará subir una escaleras o un peldaño), sentarse sin ayuda en un orinal y bajarse la ropa. Este método no es apto para niños muy pequeños porque se basa en el deseo de independencia del niño y, por tanto, requiere cierto nivel de madurez.

La mayoría de los niños desarrollarán el control del intestino y de la vejiga que requiere este enfoque entre los 18 meses y los dos años. Antes de este momento, es poco probable que sean capaces de aguantarse el tiempo suficiente.

Otras señales que hay que tener en cuenta para saber si el niño está listo son:

- El pañal del niño está seco después de una siesta, o lo está durante más de dos horas después del último cambio de pañal.
- El niño puede seguir instrucciones y directrices simples.
- Acepta quitarse la ropa y bajarse los pantalones.
- Conoce las partes de su cuerpo y sus nombres.
- Es capaz de sentarse y concentrarse durante cinco minutos más o menos (mientras lee un libro, juega o ve la televisión).

¿CÓMO PUEDO PREPARARME?

Estos son algunos elementos complementarios que pueden resultar útiles:

- Un protector o un cojín para el coche. Puedes comprarlos o hacerlos tú mismo cubriendo un cojín delgado con una bolsa de plástico y metiéndolos en una funda de almohadón.
- Mucha ropa interior para niñas o niños mayores..., al menos la suficiente para que dure una semana y preferiblemente con dibujos atractivos.
- Una tabla de recompensas o una «caja de premios», o sellos de goma para los aciertos.
- Un taburete con peldaño.
- Ropa holgada, como pantalones de chándal o elásticos.

No te preocupes demasiado por los dibujos divertidos del orinal o del resto del equipo: este es un método rápido que tiene como objeto conseguir que el niño use rápidamente el váter, así que no tiene sentido gastar demasiado dinero en algo que pronto dejarás de usar. Además, los expertos aconsejan comprar solo un par de orinales del mismo color (para que tu hijo no se empeñe en hacer pis en el azul, que está en otra habitación, porque el verde que tiene al lado no le sirve).

RECUERDA

Este enfoque es fantástico para padres que quieren, o necesitan, enseñar a su hijo a dejar de usar pañales en un periodo breve. Ahora bien, debes ser capaz de dedicarle un periodo breve de tiempo, pero significativo. Planéalo con anticipación: podrías pedir unos días libres en el trabajo, hacerlo en unas vacaciones escolares o pedir a algún familiar que te eche una mano con tus otros hijos mientras te concentras en este asunto.

Cuanto más se centren los padres en el método Intensivo, más probabilidades hay de que consigáis vuestro objetivo en el tiempo deseado. Por supuesto, no olvidéis que este método no es para padres que se acobarden.

> «Me aseguré de poner un orinal en la sala de estar. Dejé a George en calzoncillos y cada 15 minutos le preguntaba si necesitaba hacer pis. Obviamente se hartó de que le preguntara, porque el segundo día le empecé a decir "George..." y me respondió: "¡Que no, mamá!". El pobre tiene una madre un poco pesada.»
>
> Nikki, cuidadora de niños
> y madre de George, seis años.

PUNTUAL

¿QUÉ ES?

El enfoque Puntual es un método estructurado y práctico, ideal para quienes hayan usado un método estructurado para conseguir que el niño duerma. De nuevo, Gina Ford es una buena opción para los métodos de este tipo, junto con la doctora Suzanne Riffel.

Este método requiere constancia para que el niño aprenda gradualmente a tomar conciencia de su propio cuerpo. Suele ser un método rápido, aunque no tanto como para conseguir tus objetivos en un día. No obstante, puede realizarse un aprendizaje de una semana de duración.

Existen ciertas variantes de este método. El «método de la alarma» norteamericano, por ejemplo, aconseja quitar al niño los pañales durante el aprendizaje y programar una alarma para que suene a intervalos determinados. Cuando la alarma suena, se pone al niño en el orinal durante cierto tiempo. Si el niño consigue hacer algo, se le da un premio. Conforme el niño adquiere mayor dominio, se va aumentando el intervalo entre las alarmas gradualmente.

En los métodos de este enfoque, y en todas sus variantes, se usan herramientas para marcar los tiempos así como palabras de refuerzo, incentivos y premios.

¿CUÁNDO PUEDO EMPEZAR?

Como con el enfoque Intensivo, el mejor momento para empezar es cuando tu hijo sepa reconocer su propia necesidad de hacer pis o caca, pueda manejar instrucciones sencillas y ropa simple, sea capaz de concentrarse durante periodos cortos de tiempo y responde bien a las alabanzas e incentivos tales como tablas de recompensas y premios.

Si tu hijo se resiste a seguir instrucciones o no es capaz de entretenerse con un libro o un programa de la televisión durante unos minutos, tal vez sea mejor que esperes un par de meses más.

Iniciar antes de tiempo este tipo de métodos suele acabar en fracaso: es mejor poner todo el empeño cuando el niño esté realmente listo.

Este método también requiere constancia y organización. No empieces si tienes por delante un periodo agitado, o si se avecina algún acontecimiento importante, visitas o vacaciones que posiblemente trastoquen tu rutina diaria normal. Elige un momento en el que vayas a estar mucho tiempo en casa, y en el que nadie se vaya a extrañar por las manchas de humedad en las perneras de tus pantalones.

¿CÓMO PUEDO PREPARARME?

Si te gusta este enfoque estructurado en el tiempo, puedes comprar un temporizador de cocina barato. Si simplemente quieres seguir las pautas generales, no necesitarás más que los elementos básicos que se mencionan en la página 32.

Lo que puedes hacer, es jugar con tu hijo a «estar sentados quietos durante cinco minutos», pero no en un orinal. Usa un cojín en el suelo y aprovecha para leer una historia juntos o ver un programa infantil corto, como un episodio de *Pocoyo* o de *Tarta de Fresa.*

Este método será muy útil cuando tu hijo tenga que sentarse y esperar a que le llegue la inspiración en el orinal.

RECUERDA

Este tipo de métodos no es adecuado para padres que improvisen. No puedes empezar un día, recibir una llamada de un amigo al día siguiente, dejarlo todo a un lado y marcharte a la ciudad con tu hijo para tomar un café rápido, y luego acabar disgustándote al encontrar un charco en el suelo de la cafetería.

Debes poder ajustarte a un plan y seguirlo hasta el final. Estar atento al reloj es parte de la rutina de aprendizaje.

> «Empecé con Ben justo antes de su segundo cumpleaños, cuando tuvimos tiempo de concentrarnos en el tema. Él eligió su propio orinal y, probablemente, eso lo ayudó a involucrarse en todo el proceso. Su cumpleaños es en junio y me pareció un buen momento para

empezar porque podía estar en el jardín con una camiseta larga y nada más. Lo sentaba en el orinal cada 20 minutos más o menos. Se alegró mucho cuando hizo su primer pipí y yo casi enloquecí dando palmas y vítores por todo el jardín. ¡Ni me imagino qué pudieron pensar los vecinos!»

Sandra, madre de Ben, 12 años, y de Toby, seis.

SOSEGADO

¿QUÉ ES?

El enfoque Sosegado está básicamente «centrado en el niño», es decir, el niño decide cuándo y cómo aprenderá a usar el orinal.

Este enfoque es adecuado para niños mayores. Hay que dejar que los niños lleven pañales mientras se sientan cómodos con ellos y esperar a que decidan por sí mismos cuándo quieren dejar de usarlos, lo que suele ocurrir a la edad de dos años y medio o más.

Este tipo de método está ganando popularidad en el mundo occidental. De hecho, cada vez más padres esperan hasta el último momento para enseñar a sus hijos a controlar sus esfínteres, normalmente cuando están a punto de empezar el parvulario o la escuela. Los hay que todavía esperan más y envían a su hijo a la escuela todavía con pañales. La razón de esta tendencia al alza también se encuentra en las crecientes obligaciones laborales de las mujeres y que dificultan la posibilidad de encontrar un periodo de tiempo lo suficientemente largo para iniciar al niño en el uso del váter o el orinal.

La ventaja de un método Sosegado es que los niños a esta edad toman ellos la decisión de dejar de usar los pañales y, por tanto, son más maduros, más diestros y resulta más fácil razonar con ellos.

No obstante, también existen inconvenientes. Algunos niños pueden tener tan asumido el uso de los pañales y están tan acostumbrados a ensuciarse que puede ser difícil convencerlos de que usen un orinal. A algunos incluso les da miedo hacer caca sin la «red de seguridad» que les ofrece un pañal.

Este tipo de métodos nace a principios de la década de los años sesenta del siglo pasado, cuando todavía se usaban pañales de tela. Los pañales desechables, que aparecieron alrededor de los años ochenta, redujeron la sensación de humedad e incomodidad, y por tanto, eliminaban parte de la motivación para dejar de usar pañales.

Entre quienes defienden estos métodos centrados en el niño se puede citar al doctor T. Berry Brazelton, aunque la Asociación Americana de Pediatría también defiende este enfoque. De hecho, es probable que sea el enfoque más extendido en Estados Unidos.

Aunque este método no requiere mucha participación o dedicación por parte de los padres, el proceso suele prolongarse más que en otros métodos (hasta seis meses o, incluso, más).

Asimismo, si te gusta la idea de usar un método suave, con tácticas tranquilas y suaves, pero no puedes esperar hasta que el niño tome la iniciativa, puedes usar el método «sin lágrimas», promovido por expertos como Elizabeth Pantley, que es adecuado para niños de una edad mayor (de dos años y medio a cuatro). La diferencia respecto a los demás es que, en este último caso, los padres son quienes se encargan de iniciar el proceso.

¿CUÁNDO PUEDO EMPEZAR?

En el enfoque Sosegado, tu hijo marca el ritmo. Puedes dejar la decisión totalmente en sus manos o esperar a que dé muestras de estar preparado y de ser lo suficientemente maduro para iniciar la transición, pero, en cualquier caso, él decide el momento adecuado para empezar. Es posible que tu hijo te lo diga o lo demuestre abiertamente, pero también puedes llegar tú mismo a la conclusión valorando sus capacidades, las señales que dé y la buena disposición que demuestre.

Si optas por este enfoque, recuerda no agobiarte cuando veas que los amigos de tu hijo han dejado de usar pañales mucho antes de que tu hijo muestre ni siquiera interés. Ten en cuenta que en el proceso hay varias etapas: es posible que esos niños sepan controlar sus esfínteres una parte del tiempo, de día por ejemplo, pero no sean capaces de hacerlo por la noche, o quizá sepan usar un orinal pero no el váter. La conclusión que debes recordar es que resulta imposible comparar a dos niños con fases de desarrollo y personalidades diferentes.

Prácticamente todos los niños consiguen librarse de los pañales y, dejando que tu hijo tome la iniciativa, le demuestras que puede ser responsable y que confías en él. Así, cuando por fin tu hijo consiga su objetivo, se sentirá tremendamente reafirmado y podrá disfrutar de un verdadero sentimiento de realización.

> «No hay que ceder a la presión de los demás. Archie empezó bastante tarde y durante cierto tiempo hacía pis sentado porque solo había visto hacerlo a niñas. Solo ha empezado a hacerlo de pie en los últimos siete meses más o menos, ¡y ahora se divierte apuntando a las flores o a la rueda del coche! Charlotte lo consiguió antes de cumplir dos años, porque era más práctica y podía imitar a Archie.»
>
> Jo, madre de Archie, siete años,
> y de Charlotte, cinco.

¿CÓMO PUEDO PREPARARME?

Empieza a hablar con tu hijo sobre usar el orinal o el váter, para ver si sus respuestas son positivas. Quizá esté listo, pero simplemente no se le haya ocurrido empezar.

Para animarlo, hazle una tabla de recompensas, ya que los niños mayores suelen responder bien.

También podrían ser útiles:

- Un taburete con peldaño y un asiento para niños si piensas enseñarle directamente a usar el váter.
- Un orinal que sirva también como asiento reductor para el inodoro, si prefieres empezar con un orinal. Se adapta mejor al váter que el pequeño orinal tradicional.
- Cuentos infantiles sobre el orinal, leérselos os ayudará mucho: a los niños mayores les gusta ver los dibujos y se identifican con los personajes.

Si tu hijo está a punto de empezar preescolar, es posible que puedas visitar antes la clase y conocer a los profesores. Pregúntales si puedes enseñar a tu hijo la zona del lavabo: normalmente tienen váteres del tamaño adecuado para los niños, así como lavamanos pequeños que les llaman bastante la atención. Además, es posible que se inspiren cuando vean a otros niños de su edad usando el váter. De este modo, conseguirás que cuando estén en la guardería, no tengan miedo de usarlos.

> «Como preparación para este método, recomendaría quitar al niño el pañal desechable y ponerle en su lugar uno lavable o un braga-pañal lavable. Según mi experiencia, este enfoque funciona mejor con las niñas pequeñas, ya que a la mayoría de los niños no les importa seguir usando pañales desechables. Con ellos, a menudo es necesario usar un enfoque más estructurado.»
>
> June Rogers, experta en continencia.

RECUERDA

Retrasar la retirada del pañal puede ser un problema en los parvularios, guarderías o escuelas. Muchos no admitirán a un niño que lleve pañales. Procura averiguar si puedes adaptarte a la política del parvulario que te interesa.

Recuerda también que esperar a que el niño te diga que está listo conlleva un importante gasto si usas pañales desechables, aunque, por otro lado, tendrás que gastar menos en limpiar la alfombra cuando empiece el aprendizaje porque su constancia, fiabilidad y, desde luego, su puntería serán mejores.

> «Definitivamente somos de los que piensan que es mejor "dejarlo para más tarde". Lo intentamos con Joe cuando tenía unos dos años y medio. Mis amigas (que tenían niñas) habían conseguido quitar los pañales a sus hijas con éxito y se mantenían limpias de día. Yo me sentía seriamente presionada. Era verano y pensamos que sería bueno que Joe pudiera jugar en el jardín, bajo el sol, sin tener accidentes en todo el día; pero vimos que, simplemente, no estaba listo: nos pasamos muchos días con la fregona, sin parar de limpiar, y tiramos muchos calzoncillos a la basura. Finalmente, nos dimos por vencidos. Volvimos a intentarlo cuando cumplió tres años, de nuevo, sin éxito. Finalmente, un par de meses después, mientras jugaba en casa de los vecinos, vio a su pequeño usar el váter. Ese fue el punto de inflexión. Volvió a casa y al final de la semana conseguía controlar el pis y, un poco más tarde, las cacas. Cuando finalmente quiso hacerlo, el proceso fue bastante rápido y efectivo.»
>
> Kate, madre de Joe, cinco años, y de Eddie, tres.

GUÍA PARA NIÑAS

- Para hacer pis o caca, una niña necesita relajar sus músculos pélvicos. Le resultará más fácil hacerlo si puede apoyar los pies en el suelo o en un taburete. Procura que apoye bien los pies y que no tenga las rodillas demasiado levantadas.

- A menudo, las niñas muestran curiosidad por las muñecas a las que se puede alimentar con agua y que, después, hacen pis y caca. A mi hija Evie, la suya le pareció ligeramente alarmante, pero conozco a otras niñas a las que les encantaba sentarse en su orinal con su muñeca a su lado sentada, a su vez, en un orinal para muñecos.

CONSEJOS BÁSICOS SOBRE NIÑOS

- A algunos chicos no les gusta la idea de hacer pis de pie; si es así, no hay ningún problema en que se sienten para hacerlo; ahora bien, si tu hijo quiere probar a hacer pis de pie, cómprale un orinal para que pueda ponerse delante de él: a los niños les resulta más fácil hacerlo así que balancearse precariamente en un taburete delante de un váter.

- También es buena idea comprar algo para poner en la taza del inodoro. Así animarás al niño a apuntar bien cuando crezca lo suficiente. Estas son algunas posibilidades: una pelota de ping pong, colorante alimenticio (cambia el color), confetti, una pegatina resistente al agua, cubitos de colores, o incluso ¡unos cuanto Cheerios!

«Excepto en el caso de los métodos del enfoque Precoz, el proceso te resultará mucho más fácil si te preparas bien antes de empezar. Solemos recomendar que, cuando el niño sea capaz de aguantarse de pie, siempre se cambien los pañales en el lavabo y con el niño de pie. Así podrá tomar parte más activamente en el proceso. Por ejemplo, puede aprender a subirse y bajarse la ropa interior o a secarse el culito. Cuando se haga caca (si no está demasiado aplastada en el pañal) puedes tirarla al váter mientras el niño la despide, tira de la cadena, se lava y se seca las manos.»

June Rogers, experta en continencia.

2

El poder del orinal. Cómo empezar

«Los políticos y los pañales tienen una cosa en común, ambos deberían cambiarse con regularidad y por la misma razón.»

Anónimo

Probablemente, a estas alturas, ya tendrás un plan de batalla, habrás elegido un método y tendrás un completo arsenal de armas para iniciar la rutina del aprendizaje. Ahora lo único que necesitas es voluntad para llegar hasta el final y un soldadito dispuesto a colaborar.

Acostumbrarlos a usar el orinal, acostumbrarlos a usar el váter y que aprendan a ir al baño solitos –la terminología sería lo de menos–; al final del día, lo que todos los padres quieren es ver resultados, es decir, un niño que vaya solo al lavabo sin necesidad de que alguien se lo recuerde y que se mantenga limpio y seco durante todo el proceso.

Algunos padres deciden que su hijo empiece con un orinal y que luego pase a usar el váter. Otros prefieren saltarse la fase del orinal. Ciertos niños prefieren con mucha diferencia una opción a la otra, y a veces la edad del niño o sus capacidades determinará la elección.

La mayoría de los padres coinciden en que el objetivo del proceso es que el niño aprenda a predecir, controlar y gestionar las visitas al lavabo con la ayuda y el apoyo de los padres. Los consejos que se dan en este libro, se pueden aplicar tanto si tu niño se sienta encima de un orinal de plástico o en el asiento de un váter. Puedes adaptarlos. Este capítulo se centrará en el uso del orinal porque muchos padres eligen empezar así el proceso, pero en el siguiente capítulo, hablaremos sobre cómo hacer la transición del orinal al váter o cómo enseñar al niño a usar directamente el váter.

TERMINOLOGÍA DEL LAVABO

Ahora que hablamos de terminología, es un buen momento para repasar los términos que puedes usar para nombrar las partes del cuerpo y las funciones corporales. En realidad, se trata de una decisión que cada familia debe tomar, dependerá de vuestras costumbres y normas.

En nuestra casa, usamos «caca» y «pis» para referirnos a los movimientos intestinales y orinar, pero hay quienes prefieren hablar de orinar y hacer de vientre. Algunas familias echan mano de la imaginación y crean sus propios términos que pueden ser tan expresivos como quieras.

A lo largo de este libro, usamos los términos hacer pis y caca para referirnos a estas funciones corporales. Aunque no son particularmente refinados, nuestra preocupación principal es proporcionar una información clara, así que esperamos que disculpes la claridad de los términos.

Sin embargo, no hay motivo para sentirse incómodo porque no usemos términos de adultos para estas palabras; ten en cuenta, que incluso los médicos usan las palabras «caca» y «pis» cuando hablan con un niño. En cualquier caso puedes explicar a tu hijo que, en público, se usan términos eufemísticos como «ir al baño» en lugar de describir con detalles gráficos qué función corporal es más acuciante en ese momento. Del mismo modo, intenta encontrar nombres para partes del cuerpo que sean aceptables tanto en casa como en un contexto más amplio, como en el parvulario y en la escuela.

El vocabulario para hablar de los genitales incluye vagina o vulva, y, en el caso de los niños, pene o colita. También te iría bien un término para las flatulencias (ya que a menudo es una señal de que el niño necesita hacer caca). La expresión más habitual es tirarse un pedo, pero en casa decimos «¡hacer pop-pop!».

Además, intenta empezar a introducir en el vocabulario de tu hijo otros términos útiles que le ayuden a comprender todo el proceso del lavabo, como:

- Lavarse
- Tirar de la cadena
- Bajarse
- Subirse
- Húmedo
- Seco
- Encendido
- Apagado
- Ahora
- Después
- ¡Urgente!

Estas palabras ayudarán a tu hijo a vocalizar sus acciones y necesidades, lo que te será de gran ayuda y te permitirá reforzar su aprendizaje.

Muy bien, ya lo tienes todo listo. En el primer capítulo, se hablaba de cómo podías saber cuándo era el momento adecuado para empezar. Ahora hablaremos de cómo hacerlo.

En primer lugar, consulta tu agenda. Busca un momento en el que puedas centrarte en seguir el método elegido, y sobre todo, sé realista.

A continuación, coge un bolígrafo y anótalo con tinta indeleble. Márcalo en un calendario de pared, ponte de acuerdo con tu pareja, díselo a los abuelos, quizá incluso podrías enviar una ronda de correos electrónicos a todos los que te conocen a ti o a tu hijo. Cuantos más incentivos tengas para fijar y respetar una fecha de inicio, mejor.

Por último, hazte con unas cuantas buenas botellas de vino, con algunas de tus películas favoritas o con unos dvd de episodios de *Friends,* en definitiva, lo que sea con lo que normalmente te mimes cuando necesitas relajarte. Guárdalos y resérvate un momento solo para ti (podría ser una hora antes de acostarte cada noche o incluso una tarde a la semana) durante el cual puedas recuperarte de la batalla y resarcirte. Si sabes que te reservas un momento libre de charcos, te enfrentarás con mayor tranquilidad a limpiar con la fregona los accidentes que se produzcan y a tener que echar mano del sexto calconcillo o braguita del día.

Cuando este tema esté solucionado, podemos seguir adelante.

PRECOZ

CÓMO EMPEZAR

En primer lugar, debes comprender que un enfoque Precoz no es un método de aprendizaje como tal.

Al principio, es más bien una manera de ocuparse de las necesidades del bebé y prepararlo para que, más adelante, pueda ocuparse por sí solo. Por tanto, se trata de enfocar el proceso para llegar a adquirir el control de esfínteres como una progresión natural, bastante parecida a pasar de alimentarse mamando a comer de forma independiente.

Así que empezar no tiene por qué resultar complicado, quizá pueda ser sucio en ocasiones, pero no complicado.

Después de elegir dónde irá tu hijo «al lavabo» (en un orinal o en el inodoro), simplemente tienes que aprender a identificar cuándo necesita hacer pis o caca a partir de la lista de «pistas» que dábamos en el Capítulo 1.

Entonces, cuando veas que necesita ir, cógelo, abrázalo con suavidad, ponlo con seguridad sobre el receptáculo deseado y haz un sonido que recuerde al paso del agua como «ssss» o «pssss». Haz ese ruido incluso cuando no llegues a tiempo y lo pilles a mitad, así conseguirás que lo asocie a la acción.

Si sujetas a tu hijo, podrá relajar los músculos y soltar el pis y, además, asociará el sonido «pssss» y la posición con el momento de aliviarse. Deberías sujetar a tu hijo apoyando su espalda contra tu pecho o la parte superior de tu estómago y cogerlo por debajo de los muslos con las manos.

Recuerda que la mayoría de los bebés necesitan ir al baño unos 20 minutos después de comer y tras despertarse de un sueño o una siesta.

La primera vez que tú bebé realmente haga pis o caca sentirás un gran sentimiento de euforia y tu bebé lo notará: ofrécele muchas alabanzas y refuerza el sonido «ssss».

Puedes cambiar y hacer sonidos como «poop-poop» o «hmmm hmmm» cuando te parezca oportuno. Muchos padres recomiendan, para ayudar al niño a hacer de vientre, que el padre se siente en el suelo con las rodillas dobladas y el niño, delante del padre, con las piernas sobre las del padre. Así, el padre forma una especie de asiento «orinal» para el niño.

CÓMO HACERLO BIEN

En el enfoque Precoz, todo se basa en una consigna: «repetir, repetir y repetir». Cada vez que lo pilles haciendo un pis o una caca, celébralo. Si se te pasa alguno, procura no perder los nervios, y di algo como: «Este pis se nos ha escapado, pero pillaremos el siguiente...»

Conforme progreses, acuérdate de los cuatro importantes factores que te ayudarán a ti y a tu hijo a trabajar juntos para conseguir tus objetivos:

- **Tiempo.** Los recién nacidos suelen orinar cada 10 o 20 minutos. Conforme crecen, los intervalos se hacen más largos. A los seis meses, el intervalo entre pises cuando el bebé está despierto puede llegar a ser de una hora (los bebés, como los adultos, raramente orinan cuando están profundamente dormidos). Las veces que se hace caca suelen depender más de cada bebé: algunos hacen varias al día y otros pasan varios días sin hacer una. Debes procurar averiguar el patrón de tu bebé.
- **Señales**. Algunos bebés dan señales muy obvias y otros más sutiles. Puede poner una cierta expresión facial, soltar un lloro, retorcerse, quedarse muy quietos, irritarse o parecer molestos, dejar de chupar mientras se alimentan o soltar una flatulencia.
- **Señal de inicio.** Es decir, tu «entradilla»: el sonido que haces mientras tu bebe hace pis o caca. Sirve para decirle a tu bebé cuándo puede empezar. Al principio, solo podrás dar la entrada mientras el bebé ya esté haciendo pis, pero más tarde puedes usarla para indicarle que está en un lugar seguro y que puede empezar a hacer pis o caca. Resulta muy útil si estás en casa de un amigo, en un lavabo público o en cualquier sitio con el que el niño no esté familiarizado. Con la señal de inicio, le dices que está en un sitio apropiado. Ten en cuenta también que si el bebé es un poco mayor, tal vez sea mejor usar una palabra en lugar de un sonido. Incluso pueden aprender una discreta señal no verbal.

- **Intuición**. Te sorprenderá saber que, conforme tu hijo y tú aprendáis juntos, desarrollarás una especie de «sexto sentido» para saber cuándo tiene que hacer pis. Usa esa intuición, junto con las señales y conocimiento de las necesidades de tu hijo, y ten confianza.

ALGUNOS CONSEJOS MÁS PARA TENER ÉXITO

¿Recuerdas el cuaderno o diario que estaba en la lista de cosas que comprar antes de empezar? Ahora es el momento de usarlo. Anota las veces que tu bebé haga caca o pis. No es necesario escribir nada complicado o detallado: puedes establecer un código para agilizar las anotaciones, como poner una cruz cada vez que pilles un pis, y un guión, cuando te lo pierdas, y añadir una «p» o una «c» a las indicaciones para indicar si se trataba de un pis o una caca.

Esta herramienta te ayudará a identificar los horarios de tu bebé y también los «momentos malos», es decir, cuando no consigas anticipar la necesidad de tu bebé para ir: como la hora de la merienda o el final del día cuando los dos estéis cansados.

> «Empezamos muy pronto con Kitty y ahora vamos a hacer lo mismo con Finn. Con Kitty todavía trabajaba media jornada así que era bastante difícil. No podría haberlo hecho si mi madre no me hubiera ayudado haciendo de canguro. Le expliqué todo lo que debía saber sobre las señales de inicio para que pudiera animar a Kitty a hacer pis. Ahora, con Finn, estoy en casa, así que es mucho más fácil, pero sigo procurando que los abuelos conozcan los ruidos motivadores y las señales, porque no siempre estás tú con los niños cuando necesitan ir al lavabo.»
>
> Mary-anne, madre de Kitty, tres años,
> y de Finn, 11 meses.

INTENSIVO

CÓMO EMPEZAR

En primer lugar, si pretendes realizar el «método de un día» o «de una semana» o cualquier otra variación que prometa un resultado rápido, debes tener claro que no puedes despertarte una mañana, decidir, sin más, que ese es «El Día» y lanzarte sin ninguna preparación previa. Recuerda que los métodos que prometen resultados rápidos requieren una previsión y planificación detallada para conseguir ese éxito tan impresionante.

A continuación, te ofrecemos algunas formas de prepararte para conseguir buenos resultados:

- Cuando observes las señales descritas en el Capítulo 1 que determinan que tu hijo está psicológica y fisiológicamente listo, pon un orinal en el baño y algún otro en lugares estratégicos. Deja que el niño lo toque y se siente encima. Asegúrate de explicarle para qué sirve.
- Deja que tu hijo te vea en el váter, aunque solo sea cuando vayas a hacer pis, si no puedes soportar que te vea haciendo de vientre. Pídele a tu pareja que haga lo mismo.
- No esperes a que se le ocurra a él pasarse por el baño. Dile: «Vaya, mamá/papá tiene que hacer pis. Voy al lavabo. ¿Quieres venir conmigo?». Así aprenderán que piensas en la necesidad de «ir» antes de hacerlo realmente.
- Habla con ellos sobre lo que estás haciendo: «Mamá se está bajando los pantalones y las braguitas; mamá se está sentando en el inodoro; ¿quieres sentarte tú también en el orinal? Mamá se está secando con el papel del baño; mamá tira de la cadena y se lava las manos...»

- Establece unos momentos en los que se sentará durante unos minutos en su orinal sin llevar pañal, por ejemplo, mientras preparas el agua del baño, después del desayuno y también después de la siesta.
- Puedes comprar una muñeca que «haga pis» con agua. Deja que tu hijo juegue con ella, siéntala en un orinal de juguete o en el propio orinal de tu hijo. Explícale lo que necesita hacer la muñeca mediante un juego de roles.

Por fin, llega el Día D. La mañana del día indicado, anuncia a tu hijo que ya no va a usar pañales. Algunos padres prefieren plantear que la situación «no está en sus manos»: explican que se han acabado los pañales, que en la tienda ya no quedan o que el hada de los pañales ha dicho que ya es hora de que un bebé más pequeño se quede los pañales. En cualquier caso, procura ser creíble y dilo con firmeza pero también con cariño. Debes transmitirle que son buenas noticias, no una condena.

A continuación, refuerza toda la preparación que has estado haciendo. Repasa el procedimiento: explícale dónde están los orinales, cómo llegar hasta ellos, cómo contárselo a mamá o papá. Es útil hablar con los niños sobre lo que notan en el culito o en su barriguita cuando necesitan ir al lavabo, ya que algunos niños no reconocen inmediatamente la señal y no consiguen anticipar la necesidad a tiempo. Explicar cómo es la sensación suele ser de gran ayuda.

Después de esto, ya estás metido de lleno en el proceso. Procura recoger las alfombras o cojines caros. Ponle al niño un par de calzoncillos o braguitas fáciles de bajar y sube la calefacción, si es invierno.

En este punto la opinión sobre cómo deberías involucrarte difiere. Algunos métodos abogan por mucho refuerzo positivo cuando el niño tiene éxito, y refuerzo negativo mediante ciertas «instrucciones de baño» cuando hay un accidente. El positivo podría consistir en una recompensa, una felicitación o, incluso, en la llamada de algún superhéroe. El refuerzo negativo consistiría básicamente en repasar de nuevo lo que debería haber hecho para llegar a tiempo al orinal.

Algunos métodos aconsejan que los padres se queden cuidadosamente «al margen». En particular, los que abogan por dejar al niño desnudo de cintura para abajo recomiendan dejar que el niño tome conciencia por sí solo de sus funciones corporales (¡lo que resulta fácil cuando el pis les cae por las piernas!) y que aprenda a manejarlas. Los padres pueden prestar su ayuda, pero no se involucran activamente insistiendo y recordándole cada pocos minutos que es hora de hacer pis.

Haz lo que te parezca mejor. No actúes como un sargento, pero tampoco desaparezcas dejando al niño solo con el problema. Probablemente, el equilibrio correcto sea estar siempre atento y echar una mano al niño cuando te parezca necesario.

CÓMO HACERLO BIEN

El objetivo principal de este tipo de método es que la responsabilidad de usar bien el orinal pase rápidamente del padre al niño.

Imagina que has pagado un curso de un día en una escuela de cocina. ¿Qué ocurrirá? En primer lugar, te vestirás de forma adecuada y te enseñarán las herramientas más habituales. Después, un chef hará una demostración de cómo se elabora una receta o de algún método de cocción. A continuación, te mostrarán los ingredientes de los que dispones y te pedirán que repitas la receta, mientras el chef se queda observando por si sobreviniera algún desastre culinario. No obstante, cuando vuelves a casa, el chef no se va contigo. Llega un momento en el que te toca practicar lo aprendido en casa, a solas. Es probable que la primera vez que lo hagas sin supervisión experta no salga todo perfecto, pero con la práctica, pronto lo tendrás todo bajo control.

Pues bien, este es el proceso al que te enfrentas si eliges seguir un método Intensivo. En un periodo muy corto de tiempo, tu hijo sabrá lo que esperás de él. Se familiarizará con las herramientas, se acostumbrará a la rutina y la mayor parte del tiempo será capaz de seguirla, al principio con tu presencia tranquilizadora y después por sí solo.

Por supuesto, habrá accidentes. Ningún niño puede ser 100 % fiable en un día o en una semana. Recuerda que el objetivo que pretende alcanzarse en ese tiempo es que el niño adquiera la *rutina*, el comportamiento deseado.

Así que si ocurre algún excepcional accidente, no te rindas: si tiras la ropa interior mojada y vuelves a poner un pañal a tu hijo, solo conseguirás menoscabar toda su confianza en las habilidades en las que tanto ha trabajo. Sigue a su lado, confía en él y, gradualmente, su cuerpo asimilará lo que su mente ya ha entendido.

ALGUNOS CONSEJOS MÁS PARA EL ÉXITO

Tanto si te involucras abiertamente como si intentas mantenerte en un segundo plano, intenta evitar las distracciones. Apaga el teléfono; no te ocupes de nada importante; procura que no haya amigos alrededor. Aunque tu hijo sea el centro del método, el esfuerzo debe ser conjunto y requiere toda tu atención.

Además, procura preparar varias cosas con las que mantener a tu hijo ocupado y en las que tú también te puedas involucrar, como un puzzle, un juego, un dibujo o una película que podáis ver juntos. De ese modo, puedes estar cerca de tu hijo y observarlo sin que sienta que estás acechándolo de una manera poco natural y desalentadora.

Si, al final del día, has tenido algún éxito, por pequeño que sea, no dudes en celebrarlo, aunque solo se trate de un pequeño charquito en el orinal. No menciones los accidentes, solo alaba los éxitos. Tu hijo necesita irse a dormir convencido de tu aprobación, para que se despierte con ganas de volver a intentarlo otro día más, en lugar de desanimado.

> «Algunos de estos métodos también recomiendan dar al niño más bebidas durante las horas de aprendizaje para asegurar visitas regulares al orinal.»
>
> June Rogers, experta en continencia.

> «Buzz aprendió muy rápidamente a los dos años y medio porque quería ir de acampada con su papá, y el único modo de que su papá aceptara que fuera con él es que no llevara pañales. Literalmente aprendió de la noche a la mañana, ¡nunca tuvo un accidente!»
>
> Anton, madre de Jake, 10 años, de Eleanor, ocho, de Buzz, siete, de Lara, cinco, y de Bibi, tres.

PUNTUAL

CÓMO EMPEZAR

Este enfoque se basa tanto en los horarios como en las señales tal y como ocurría con los métodos del enfoque Precoz. No obstante, en este caso, tu hijo es mayor y, en consecuencia, más predecible y fiable que un bebé recién nacido o muy pequeño. Por tanto, la responsabilidad de ir al lavabo recae en ellos, en lugar de ser un esfuerzo de equipo.

En un método ordenado de aprendizaje para el uso del baño, basado en una rutina, la organización es la clave. Así que cuando estés listo para empezar, pasa una semana más o menos registrando los hábitos normales de tu bebé para hacer pis y caca en un cuadro. Durante este tiempo, puedes seguir los mismos consejos para prepararse que se daban en el enfoque Intensivo: procura que tu hijo se acostumbre a su orinal, que te vea usando el baño y que siga la rutina deseada contigo.

Observa con atención cuándo necesita hacer caca y cuánto tiempo aguanta sin mojar los pañales y, después, piensa en cómo encajar esos momentos en su rutina diaria de comer, dormir y jugar.

Es muy probable que si te interesa el enfoque Puntual, también siguieras un método basado en rutinas para conseguir que tu hijo durmiera en sus primeros momentos de vida. Probablemente, a estas alturas, tu hijo dormirá toda la noche en su propio dormitorio, puede dormir solo y está acostumbrado a dormir una siesta al día en su propia cama a una hora particular.

La ventaja de esta situación es que tu hijo se acostumbró desde sus primeros meses de vida a responsabilizarse de sus propias necesidades en un ambiente seguro sin ceder al pánico, lo que resultará de gran ayuda cuando quieras enseñarle a que deje de usar los pañales y a controlar sus esfínteres. Por tanto, el truco reside en encontrar una manera de trabajar con el orinal de manera que se convierta en un elemento más de su día tranquilo y pautado.

A un niño acostumbrado a seguir métodos del enfoque Puntual suele gustarle ser independiente, así que te recomendamos que aproveches ese rasgo para que se involucre en el proceso de dejar los pañales desde el principio. Llévalo a comprar y déjale escoger su propia ropa interior. Encontrarás algunos artículos fantásticos, con dibujos tanto para niñas como para niños. Déjale decidir dónde poner los orinales en la casa. Quizá incluso podrías dejarle que decida contigo la fecha de inicio. Y entonces, el Día D, recuérdale que ha llegado el momento de empezar su nueva rutina de niño o niña mayor.

Ten en cuenta que, previamente, debes saber a qué horas suelen necesitar ir al lavabo: al despertarse, después de desayunar, antes de la siesta, después de la siesta, antes de almorzar, después de almorzar, etc.

Cuando sea el momento, limítate a decir a tu hijo: «Es la hora del orinal» y llévalo hasta el orinal con tranquilidad. Después dile: «Vamos a sentarnos un rato a ver si necesitas hacer algo».

Procura reforzarle la idea de que lo «intentará» en ciertos momentos determinados, pero que si tiene ganas, también puede ir entre las visitas regulares.

Después, todo se reduce a la práctica y a la perseverancia, y sobre todo no te rindas en un momento de debilidad y vuelvas a ponerle un pañal o un bragapañal. Así solo conseguirías confundirlo. Si has decidido que tiene la inteligencia y la capacidad de hacerlo, debes apoyar a tu hijo (aunque resulte difícil) y seguir el plan trazado. Verás que las visitas al orinal se convertirán pronto en una parte tan natural del día como las siestas y las horas de las comidas: serán una pieza más del puzzle que has estado encajando desde su nacimiento.

CÓMO HACERLO BIEN

Los niños que siguen un método Puntual también suelen responder bien a los aprendizajes basados en recompensas. La fórmula «si haces esto bien, entonces conseguirás esto otro» encaja perfectamente en su rutina predecible y estable.

Por tanto, en estos métodos las tablas de recompensas con estrellas o pegatinas resultan muy útiles. Y por supuesto, puedes adaptarlas a tu conveniencia: algunos padres tienen un tarro especial lleno de pequeños premios para dar al niño cuando haga pis o caca (no les puedes dar nada por intentarlo, tienen que hacer algo). Otros padres incluso crean una canción especial que cantan para alabar a su hijo cuando tiene éxito en una de las visitas al orinal.

En cualquier caso, procura actuar con coherencia: recuerda tener siempre premios y no olvides la letra de tu canción especial. En definitiva, debes cumplir tu parte del trato.

Otra buena estrategia es acercar el orinal al váter después de que tu hijo haga progresos durante unos cuantos días. Hazlo gradualmente y sin prisas, y, cuando creas que tu hijo tiene suficiente control para llegar hasta allí cuando sienta una urgencia, instala el orinal en el lavabo.

Si tienes solo un lavabo en una casa de dos pisos, o simplemente vives en una casa grande, deja un orinal en el piso sin lavabo para hacer pis o en otra habitación alejada del lavabo; ahora bien, podrías insistir en que debe hacer caca en el lavabo para reforzar la transición al váter.

ALGUNOS CONSEJOS MÁS PARA TENER ÉXITO

Para no perturbar la rutina de comidas y sueño durante el día, no le quites los pañales para dormir la siesta diurna al principio. Tras la primera noche, más o menos, ponle un bragapañal para dormir la siesta y, cuando sepa controlarse mientras esté despierto, dale una oportunidad.

Acostúmbralo a usar un cojín especial forrado de plástico en casa para que acepte sentarse sobre él en el coche, cuando os aventuréis a salir. Si está bastante acostumbrado a usar bien el orinal en casa, pero sigue olvidándose en ocasiones, puedes usar un pequeño temporizador de cocina y programarlo cada dos horas. Cuando suene, ¡es la hora del orinal!

Puedes hacerte una tabla para apuntar sus «aciertos» y «errores», y cuándo se producen: te ayudará a ajustar su rutina, a identificar los momentos «peligrosos» del día y a predecir con más precisión cuándo necesita ir al lavabo.

> «Mis hijos conseguían un premio cada vez que usaban bien el orinal.»
>
> Annie, madre de Tom, 14 años, y de Olivia, 10.

«Premia también a los hermanos y hermanas con una golosina o una pegatina además de al niño al que estés enseñando: así animarás al pequeño a ir lavabo porque ¡sus hermanos estarán esperando que lo haga! No obstante, procura reducir el nivel de halagos, poco a poco, después de una semana, para que vaya convirtiéndose en una parte normal de su comportamiento. Deja de dar premios por el pis después de una semana y recompénsalo solo cuando haga caca.»

Emma, madre de Aisha, siete años,
Anisa, cuatro, y Omar, dos.

SOSEGADO

CÓMO EMPEZAR

Estos métodos centrados en el niño se basan en la premisa básica de que aprender a controlar los esfínteres es un paso fundamental del desarrollo (igual que caminar, hablar o comer) y, por tanto, el niño solo debe usar el orinal cuando esté listo para hacerlo, tras explicarle qué es un orinal y para qué sirve. En definitiva, deben aprender solos.

Si sigues este enfoque, dejas en manos de tu hijo la decisión de cuándo y cómo realizar el aprendizaje. Por tanto, no hay ningún horario que seguir, el niño marca la pauta.

Los niños que toman la decisión por sí solos se acostumbran muy fácilmente a usar el orinal y el váter. De hecho, este enfoque es una tendencia al alza en la sociedad occidental. Un estudio americano publicado en el número de abril de 2003 de la revista *Pediatrics* informaba de que empezar un método intensivo para aprender a usar el orinal (definido como pedir a un niño que vaya al orinal más de tres veces al día) antes de los 27 meses simplemente alarga el tiempo de aprendizaje.

Algunas personas incluso piensan que iniciar un aprendizaje antes de ese momento ni siquiera podría considerarse como tal, «solo podría llamarse pillar el pis y la caca».

T. Berry Brazelton ideó el primer método centrado en el niño a principios de la década de los 60 del siglo XX, porque sentía que los demás métodos dirigidos por los padres no daban buenos resultados: los niños se negaban a usar el váter, sufrían serios problemas de estreñimiento y retenían sus deposiciones. Así, llegó a la conclusión de que con esas técnicas se empujaba a los niños a hacer algo antes de que estuvieran listos y se propuso ofrecer un método más suave y gradual.

Si lo piensas seriamente, el proceso de aprender a estar limpio y seco es muy complejo. Implica que el niño:

- Tome conciencia de las sensaciones de presión en su intestino o vejiga.
- Relacione esas sensaciones con lo que ocurre dentro de su cuerpo.
- Aprenda a responder a ellas yendo al orinal.
- Sepa cómo quitarse la ropa y sentarse cómodamente en el asiento.
- Sea capaz de aguantarse la urgencia hasta estar en posición.

Ahora, veamos qué puedes hacer si has decidido esperar a que tu hijo esté listo y crees que ha llegado el momento porque ha demostrado un deseo de dejar los pañales.

En primer lugar, preséntale un sillón orinal; los modelos más grandes resultan más cómodos para un niño mayor. Pídele que se siente completamente vestido mientras tú usas el váter. Puedes hablarle o leerle una historia mientras esté sentado en él.

Siéntalo en el orinal totalmente vestido durante una semana, y después solo con el pañal. Si mancha el pañal, echa el contenido en el orinal y explícale que ese es su sitio. Llévalo al sillón orinal dos o tres veces al día. Después de unos días, empieza a quitarle el pañal durante cortos periodos de tiempo procurando tener cerca el sillón orinal. Anima a tu hijo que lo use por sí solo.

CÓMO HACERLO BIEN

Se supone que el «gran paso» (cuando tu hijo se siente en el orinal desnudo y haga algo) ocurrirá de forma espontánea, pero es más probable que pase si el niño va desnudo de cintura para abajo y si el sillón orinal está en algún lugar a la vista; no obstante, recuerda que debe pensar que usar el orinal es idea suya ¡y no tuya!

Puedes recordarle con delicadeza en alguna ocasión que vaya al lavabo, pero en este método no se contempla decirle a tu hijo directamente que use el orinal. Inicialmente, debes centrarte en esperar a que tu hijo decida usar el orinal. Puedes esperar a aclarar temas como tirar de la cadena y lavarse las manos a una fase posterior, cuando muestren interés por sí mismos.

ALGUNOS CONSEJOS MÁS PARA TENER ÉXITO

Aunque los niños mayores no suelen tener problemas para seguir un método Sosegado (al fin y al cabo tienen mayor control de los intestinos y de la vejiga, así como unas capacidades motoras y una comprensión verbal más desarrollada que un bebé más pequeño), este método no es rápido. Muchos niños no alcanzarán un éxito fiable antes de cumplir los treinta meses. Así que no te agobies con plazos. Recuerda que has pasado el control de este aprendizaje a tu hijo, y le has otorgado el poder de aprenderlo por sí mismo.

Para un niño más mayor, la privacidad puede ser importante, especialmente cuando intenta hacer caca. Si quiere estar solo en el baño, solo asegúrate de que no puede encerrarse y dale algo de espacio.

A algunos niños mayores les va mejor sentarse «al revés» y a horcajadas en un inodoro para adultos o en un orinal más grande. Así a los niños les resulta más fácil apuntar hacia abajo e, incluso, pueden apoyar un libro o un juguete en la cisterna del váter.

Si tu hijo ya va al parvulario o a la guardería, pide a los cuidadores que te hablen sobre sus hábitos diurnos en el lavabo y que te ayuden a seguir con la rutina de aprendizaje.

> «Con mi hijo mayor vivimos una pesadilla: empecé demasiado pronto. Creo que empezar a los dos años, para los niños, es demasiado pronto. Luchamos durante meses, pero un par de años después seguía teniendo accidentes. Así que, después de lo que nos ocurrió con él, aprendí a no presionar, ni sugerir siquiera hasta que el niño estuviera listo, ¡y, al parecer, la nueva estrategia funcionó con los cuatro siguientes!»
>
> Anton, madre de Jake, diez años, Eleanor, ocho, Buzz, siete, Lara, cinco y Bibi, tres.

> «Con Joe aprendimos a esperar a que el niño estuviera listo, así que a su hermano pequeño, Eddie, ni siquiera le sacamos el tema. Entonces, de repente, el mes pasado nos pidió usar el váter. Lo hizo en un buen momento porque estábamos de vacaciones, así que Andy pudo ayudarme. Nos alegramos de haber esperado a que él iniciara el proceso en esta ocasión. Con Joe, el proceso se inició por influencia de los amigos; Eddie quiso ser como su hermano mayor.»
>
> Kate, madre de Joe, cinco años, y de Eddie, tres.

GUÍA PARA NIÑAS

- Las niñas suelen responder bien a los diseños de orinales más intrépidos, así que no temas arriesgar. Hay algunos «mágicos» con un dibujo que cambia de forma o color cuando el líquido lo toca, y otros con música.

- También puedes evitar peleas por la ropa poniendo a las niñas vestidos holgados mientras estén aprendiendo a usar el orinal, ya que así pueden sentarse rápidamente en el orinal y, además, es más probable que lo hagan sin ayuda.

CONSEJOS BÁSICOS SOBRE NIÑOS

- En los primeros días, deja que tu hijo corra por la casa desnudo de cintura para abajo. Está acostumbrado a notar la sensación de humedad en el pañal, pero no necesariamente comprenderá de dónde sale el pis. Necesita verlo salir.

- La mayoría de los niños querrán sentarse en el orinal primero. No los obligues a hacer pis de pie: espera a que se adapten primero al orinal y, después, deja que vean a su papá o a sus hermanos mayores haciendo pis de pie y así podrán tomar la decisión por sí solos.

«El método de aprendizaje que se elija no importa demasiado: lo importante es seguir el que creas más adecuado para ti y tu hijo, y uno al que puedas ser fiel. No hay nada más confuso para el niño o frustrante para los padres que cambiar constantemente el método de aprendizaje sin conseguir ningún progreso real. Si llegas a la conclusión de que el método que sigues no funciona, para: tómate un respiro y piensa qué ha fallado; luego, vuelve a empezar cuando recuperes la confianza y tengas un claro plan de acción.»

June Rogers, experta en continencia.

3

Enfrentarse al váter y comportamientos en el baño

«Si te plantas delante de un montón de niños de cuatro años, con solo decir "váter", se echarán todos a reír.»

Charlie Williams, futbolista y cómico.

¿Por qué usar el váter? Al fin y al cabo, la mayoría de los váteres están diseñados específicamente para adultos, ¿no? Entonces ¿por qué deberíamos obligar a un niño pequeño a usar un artilugio que no es adecuado para su tamaño, que no puede moverse o trasladarse a una ubicación conveniente, en el que puede caerse y que hace ruidos que dan miedo cuando se usa? ¿Por qué no esperamos a que se hagan mayores, y les dejamos usar hasta entonces un bonito y pequeño orinal? Hay unas cuantas buenas razones por las que un niño debe enfrentarse a un váter, antes o después:

- Tu hijo no siempre dispondrá de su orinal preferido allá donde vayáis.
- Si estáis lejos de vuestra casa o en la de unos amigos, podría tener que usar un váter de adultos.
- Puedes llegar a la conclusión de que los orinales no son un paso necesario en el aprendizaje: ¿para qué molestarse con soluciones intermedias cuando puedes ir directamente al resultado deseado?

«No me preocupé por los orinales porque pensé que después tendría que acostumbrarlas a usar el váter, así que compré un mini asiento que encajaba dentro del grande.»

Barbara, madre de Kate y Victoria.

No obstante, tanto si decides que el niño use primero el orinal o bien si vas directamente a la fase del inodoro, es posible que muestren dudas en esta etapa de su desarrollo. Al fin y al cabo, es un objeto grande y alto: imagina tener que trepar a un inodoro que te llegara hasta el pecho. Para colmo, tiene un enorme agujero en el centro y deben dejar colgando sus delicadas partes sobre profundidades cavernosas y llenas de agua desde las que podrían emerger dios sabé qué terribles monstruos...

Además de esto, usar el váter de adultos suele marcar un estadio de independencia que va unido a expectativas sobre higiene en el baño, limpieza y cuestiones de seguridad por parte de los adultos.

Desde el punto de vista de las ventajas, usar váteres desde el principio te permite ahorrar el dinero que costaría comprar varios orinales para casa y para fuera de ella; asimismo, elimina la posibilidad de que el niño confunda los orinales con juguetes, lo que hace más difícil el aprendizaje; y, además, te libra de la tarea de vaciar los orinales, tirar sus contenidos y limpiarlos y desinfectarlos después.

Algunas cuestiones de seguridad e higiene son comunes a todos los métodos, así que las repasaremos en primer lugar.

SEGURIDAD EN EL BAÑO

Las principales cuestiones relacionadas con la seguridad a las que hay que prestar atención cuando un niño está en el baño son:

- El riesgo de estar cerca del agua.
- El riesgo de caída.
- El riesgo de contraer enfermedades por gérmenes y bacterias.

Para evitar el peligro del agua, establece la regla de que los tapones solo se ponen en las bañeras o en los desagües cuando está presente un adulto. Enseña a tu hijo tan pronto como sea posible que el color «azul del grifo significa frío y el rojo, caliente», y que, cuando estén solos, solo podrán usar el grifo frío.

Para evitar problemas con los usuarios del baño más jóvenes y aventureros, puedes comprar un cierre para el inodoro que solo pueda abrirse cuando tú estés ahí. No obstante, cuando hayas conseguido que el niño se anime a usar el inodoro, se convertirá en un obstáculo no demasiado favorable. Por tanto, cuando tu hijo ya use el váter, equípalo con un asiento que encaje bien en el váter y con un pequeño taburete o escalera, y establece la regla de que los niños no pueden estar sin vigilancia en el lavabo si el asiento y el taburete no están en su lugar.

En el mercado hay diferentes diseños de asientos para el váter disponibles; cuando tomes la decisión, asegúrate de que cumple con los siguientes requisitos de calidad:

- Es un asiento sólido y bien construido.
- Es cómodo y está un poco acolchado.
- Tiene un dispositivo antisalpicaduras para los niños.
- El asiento se ajusta al tamaño exacto del agujero de tu váter.
- También puedes comprar uno con reposabrazos a los lados en los que el niño pueda apoyarse.

Existe una variación que consiste en un asiento de váter que se puede fijar permanentemente en una taza estándar, pero que incorpora un segundo asiento, más pequeño, que se puede bajar de la tapa y que puedes soltar cuando tu hijo necesite usarla, y después volver a sujetarla en la tapa cuando use el inodoro un adulto. Este tipo de asientos da un aspecto más ordenado (el lavabo no está lleno de objetos de plástico) y además algunos niños los ven como un asiento más de «mayores» y por tanto les gusta más usarlos.

La principal desventaja reside en que está fijado, de manera que no lo puedes usar en diferentes lavabos o llevártelo cuando salgas de día. Por eso, muchos padres deciden usarlos en las casas de los abuelos donde puede dejarse instalado, y reservan los de plástico desmontables para usarlos en casa.

También hay asientos que se pueden plegar en cuatro y que, por tanto, puedes guardar en una bolsa pequeña. Son muy recomendables: caben fácil y discretamente en una bolsa para pañales o debajo del cochecito, o incluso en un bolso, y pueden usarse en lavabos públicos o de amigos. En cualquier caso, resultan mucho más cómodos que llevar un asiento de tamaño natural bajo el brazo.

> «Un consejo que siempre doy a la gente es que no se molesten con los orinales y que pasen directamente al váter si pueden hacerlo. Callum se encariñó mucho con su orinal y se negó a usar el váter durante mucho tiempo, lo que resultó un problema importante al final. Por eso, hice que mis otros dos hijos usaran directamente el váter y me ahorré recoger el líquido que se derramaba cuando los niños intentaban vaciar sus propios orinales (¡lo que no es nada bueno para tus alfombras!).»
>
> Sharon, madre de Callum, seis años,
> Vincent, cinco, y Lauren, cuatro.

¿ESTÁ TU LAVABO PREPARADO PARA UN NIÑO?

Además de procurar que el propio inodoro sea seguro y cómodo, debes considerar todo el lavabo desde la perspectiva de un niño. Así:

- Asegúrate de que el papel higiénico o las toallitas están al alcance de tus hijos. El dispensador habitual del lavabo puede servirte a ti, pero tu hijo tendrá que apoyarse en algún sitio para cogerlo y eso podría provocar una caída.

- Enseña a tu hijo que su taburete con peldaño también se puede usar delante del lavamanos, y asegúrate de que tenga una toalla limpia y jabón a su alcance.
- Algunas marcas fabrican jabones en envases divertidos o barras de jabón con muñecos insertados en ellas. Aunque en un principio motivarán a los niños a lavarse las manos, comprobarás que es rentable conseguir que usen jabón normal en cuanto puedan.
- Fíjate en el pestillo de la puerta del baño: ¿puede cerrarse fácilmente desde dentro? Si es así, desmóntalo temporalmente; si quieres, instala otro a más altura al que solo lleguen los adultos.
- Asegúrate de que todos los detergentes, limpiadores, productos con lejía, cuchillas, tijeras o artículos de aseo que se puedan beber están guardados bajo llave.
- Cambia los vasos de cristal por otros de plástico o de cartón.
- Baja la temperatura máxima del agua a 48 °C.
- Ten en cuenta que los taburetes y los váteres pueden usarse para trepar más alto: asegúrate de que las ventanas tengan cierres de seguridad.
- Ten cuidado con lo que tiras a la papelera del baño: no tires ni cuchillas, ni productos para teñir el pelo ni medicamentos.

GUERRA BACTERIOLÓGICA

Siempre habrá gérmenes en el baño, especialmente si hay algún niño cerca. Intentar eliminarlos por completo es inútil y crea un estrés innecesario.

No obstante, procura reducir la probabilidad de que tu hijo y el resto de la familia entren en contacto con ellos innecesariamente e instaura unos buenos hábitos de higiene para que toda la familia esté sana.

Aquí tienes unas reglas básicas para el baño:

- **Enseña a tu hijo a secarse solo.** Pero ten en cuenta que puede resultar algo complicado para un niño cuyas habilidades motoras no están completamente desarrolladas. Explica a los niños, tanto a los más pequeños como a los mayores, por qué es importante hacerlo (usa un lenguaje simple para decirles que evita los malos olores y picores, y que mantiene la nueva ropa interior limpia y bonita).
- **Tira de la cadena.** Impedirás que los gérmenes se acumulen.
- **Lávate las manos.** Cada vez que vayas, hagas lo que hagas. Enjabónate, aclárate bien y sécate. Procura crear alguna versión divertida de la orden «Lávate las manos», mantra que nos enseñaron de niños. Los niños mayores pueden ayudarte a dibujar un póster que puedes plastificar y poner cerca del lavamanos.

A los niños les fascinan las cosas que contienen agua y todo a lo que puedan trepar: así que los experimentos de montañismo por el lavabo y de tirar cosas al inodoro son inevitables.

Por tanto, lo único que puedes hacer es procurar que todo esté en las mejores condiciones posibles. Mantén el váter (incluyendo la parte de debajo de la tapa) y los alrededores limpios: pon algunas toallitas limpiadoras desinfectantes en un cajón cerrado cerca, y da un repaso rápido a todo siempre que vayas allí. Requiere menos tiempo y esfuerzo que sacar envases de limpiadores y un paño y, por tanto, lo harás más frecuentemente.

Usa una pastilla desinfectante en el inodoro para combatir los gérmenes que se acumulan cuando los niños se olvidan de tirar de la cadena: asegúrate de que sea de las que se introducen en la cisterna, en lugar de las que se cuelgan bajo el borde, ya que estas pueden resultar atractivas para los niños.

Si se tiene una buena higiene en el baño familiar resulta más fácil enseñar buenos hábitos en los lavabos públicos. Puedes enseñar a tu hijo a usar asientos de váter desechables o a cubrir el asiento con papel higiénico.

Asimismo, en este punto, cabe señalar que las diferentes culturas tienen diferentes métodos de higiene. Por ejemplo, los musulmanes tradicionalmente hacen que sus niños aprendar a limpiarse con agua usando la mano izquierda, en lugar de papel higiénico. Algunos hogares musulmanes tienen una pequeña ducha de mano para ello. En hogares tradicionales, también se usan piedras lisas. Muchos musulmanes que viven en países occidentales han adaptado esta práctica y animan a los niños a sustituirlas por toallitas húmedas desechables (cuando van a la escuela o fuera de casa, suelen llevarse un paquetito).

Probablemente, esta es una buena práctica para los niños de cualquier cultura y también algo que debes tener en cuenta cuando tu hijo traiga a casa a niños que necesiten esos artículos de aseo.

Una vez que has establecido tus reglas básicas de seguridad en el baño, consulta los consejos que se dan para el método que has elegido.

PRECOZ

CONSEJOS BÁSICOS

Lo mejor que puedes hacer cuando inicias un aprendizaje para dejar los pañales con un niño de muy corta edad es establecer algunos sonidos motivadores, como «psss» y «mmm». Una vez que el bebé se haya acostumbrado a oír esos sonidos mientras hace pis y caca en un orinal, podrás usarlos también cuando pongas al niño sobre un inodoro para adultos.

Algunos padres empiezan a usar el váter a una edad muy temprana, incluso cuando el niño tiene tan solo semanas de edad: la desventaja de este método es que, cuando tu bebé hace pis cada pocos minutos, tu capacidad de respuesta se ve limitada ya que supone muchos viajes al lavabo, especialmente si te separan unas escaleras del lavabo.

Sin embargo, cuando tu bebé demuestre tener un poco más de control de la vejiga, vale la pena poner al bebé en el váter cuando pilles algún pis, porque así empezarán a reconocerlo –y otros inodoros que no le sean familiares– como un «orinal» o un lugar adecuado para «ir al lavabo».

Conforme tu hijo crezca, podrá controlar mejor sus necesidades y empezará a necesitarte menos a ti; entonces, puede ser un buen momento para empezar a practicar con ellos sentándolos en un asiento reductor insertado en el propio inodoro, en lugar de dejarlo suspendido encima de él. Así, rápidamente, empezará a usar solo el inodoro, sin necesidad de usar el orinal.

PELEAS EN EL CUARTO DE BAÑO

El gran problema de algunos de los niños que dejan los pañales usando un método Precoz es que se han acostumbrado a tener contacto corporal con un padre mientras hacen pis y caca. A menudo no solo necesitan la ayuda del adulto para controlar el tiempo, sino también la sensación de seguridad y confianza que les proporciona ese contacto cercano.

Cuando llega el momento de que el niño empiece a usar el váter para adultos de forma independiente, pueden sentirse expuestos y asustados, incluso aunque estén acostumbrados a ver el inodoro como un lugar donde tirar sus desechos.

Por tanto, vale la pena esforzarse para que tu hijo se sienta totalmente seguro cuando tenga que usar el váter grande y asegurarse siempre de que el taburete esté a la altura correcta para que les permita llegar.

Cuando compres un asiento para insertar en el váter, elige uno con reposabrazos pequeños a los lados en los que tu hijo pueda apoyarse. Pon algunos cuentos o juguetes pequeños en un cesto que sean exclusivamente para usar en el lavabo. Así, podrás mantener su atención e, incluso, darles un incentivo para que lo intenten hacer ellos solos. Además, recuerda recompensar su esfuerzo por identificar sus necesidades y sigue el proceso hasta el final con una tabla de recompensas o algún tipo de premio: es muy posible que sean mucho más pequeños que otros niños que empiecen a usar el váter, así que procura reconocer sus capacidades precoces y demuéstrales que te sientes orgulloso.

> «Empezamos a poner a Kitty sobre el váter de adultos cuando era muy pequeña siempre que pillábamos un pis a tiempo o estábamos cerca. Si no, la sujetábamos sobre su pequeño orinal, pero después le enseñábamos cómo tirábamos el contenido por el inodoro después. A los 14 meses, la sentábamos sin problema sobre el váter grande con un asiento insertado en él: compramos uno con brazos a los lados para proporcionarle un poco más de seguridad y ayudarla a mantener el equilibrio.»
>
> Mary-anne, madre de Kitty, tres años, y de Finn, 11 meses.

INTENSIVO

CONSEJOS BÁSICOS

Con el método Intensivo, la clave reside en la velocidad. Y si consiguen sus objetivos, la mayoría de los padres no tienen motivos de queja. No obstante, este método conlleva un pequeño problema: la rapidez del método requiere que el niño pueda asumir muchas experiencias, responsabilidades e instrucciones nuevas a la vez.

Es decir, en cuanto tu hijo ha entendido qué es un orinal y cómo llegar a él a tiempo (en días e incluso en horas), debe empezar a aprender cosas nuevas y a aplicar su nuevo conocimiento al inodoro grande, que probablemente estará más lejos y resultará mucho más intimidatorio que su orinal habitual.

Ahora bien, quizá pienses que, si vas a enseñar a tu hijo el uso del orinal durante un periodo muy breve, puedes saltarte la fase del orinal e ir directamente al váter. Desde luego, no es una opción imposible, pero debes tener en cuenta que es probable que tengas que limpiar muchos más accidentes de este modo que si pasas primero por la fase del orinal. Ten en cuenta que estás bombardeando a un niño con mucha información a la vez, de manera que no tiene tiempo para acostumbrarse gradualmente al váter de adultos y a llegar al baño.

Por todas estas razones, lo habitual cuando se sigue un método Intensivo es empezar usando un orinal, pasar gradualmente del orinal al váter, para que llegue un momento en el que puedan controlar su vejiga e intestinos durante el tiempo necesario para llegar a hacer casi todos los pises y cacas en el baño, en lugar de en las otras zonas de la casa.

Solo en esta fase, cuando el cuarto de baño se haya establecido como el «lugar donde ir al lavabo», puedes pedirle a tu hijo que use el inodoro. Para que este cambio sea lo menos amenazante posible, es importante poner un taburete con peldaño en el sitio adecuado, colocar un asiento reductor en el inodoro y que el baño cumpla todos los requisitos para ser apto para niños.

PELEAS EN EL CUARTO DE BAÑO

Si te parece que tu hijo, después de haber aprendido tantas cosas muy rápidamente, vacila al dar este paso, procura hacer todo lo que esté en tu mano para que se sienta cómodo en el váter para adultos.

Los inodoros grandes dan miedo a los niños pequeños por los siguientes motivos:

- Su tamaño: son demasiado grandes para ellos.
- Su forma: están huecos y uno puede caerse dentro.
- Hacen ruido: el sonido al tirar de la cadena es fuerte y extraño.
- Salpican: tu hijo nota frío en el culito y se asusta.

> «A Oliver le daba miedo el váter. Se negaba a hacer nada en él. Averiguamos que no era por el váter en sí mismo, sino que le daba miedo el agujero. Así que en primer lugar, le dejamos hacer caca en su pañal y después encima del pañal, entonces pusimos el pañal en el inodoro e hizo caca sobre él. A partir de ese momento, se sintió cómodo en el váter. No obstante, necesitamos usar toda nuestra capacidad de persuasión y paciencia.»
>
> Clare, madre de Emma, seis años, Oliver, cuatro,
> Evie, dos años y Hannah, dos meses.

Recuerda: puedes hacer muchas cosas para que estas cuestiones no supongan un gran problema. El factor del tamaño puede dejar de ser problema con un taburete y asegurándote de que el papel higiénico está al alcance del niño. Haz que tu hijo siente a un osito de peluche grande en el asiento reductor y deja que te vea usando el inodoro para que pueda comprobar cómo usas los pies para equilibrarte.

Para que no les extrañe que el inodoro esté hueco y que las cosas desaparezcan por el agujero puedes hacer un experimento divertido con ellos. Déjales echar trocitos de cereales a la taza para que practiquen tirando de la cadena, incluso puedes lanzar cubitos de hielos de colores. También puedes inventarte una rima o una canción para despedir al pis y a la caca cuando los eches en la taza y tires de la cadena. Mientras haces todas estas cosas, deja que prueben a tirar de la cadena. Así, se acostumbrarán al ruido y a la acción del agua en la taza.

Finalmente, para que no les salpique el agua, echa un poco de papel higiénico en la taza antes, pero solo un poco: asegúrate de que tu hijo no piensa que hay que echar todo un rollo.

Entonces, cuando tu hijo esté listo para sentarse en el váter, ponte de rodillas a su lado para que vean que estás a su nivel. Sujétalos por la cintura. No dejes de mirarlos a los ojos para tranquilizarlos. Cuando se sientan más confiados, sujétalos solo con una mano y, finalmente, deja que se sienten solos, pero permanece a su altura. De este modo, aprenderán a usar el váter de forma independiente y, al final, ni siquiera necesitarán que estés presente en la habitación.

> «Elliott usó un orinal una o dos veces bastante temprano, cuando tenía unos 18 meses. Entonces nos fuimos de vacaciones y se pasaba la mayor parte del tiempo desnudo de cintura para abajo. Allí acabó de entender el proceso usando un váter de niño mayor.»
>
> Victoria, madre de Elliott, seis años.

PUNTUAL

CONSEJOS BÁSICOS

Los niños que siguen este tipo de métodos responden muy bien a la rutina y a maneras divertidas de ayudarles a mantener esa rutina. Si se sigue este método, establecer un «horario de visitas al lavabo» puede ser muy efectivo. Un horario de visitas al lavabo es cualquier sistema que pueda ayudar a un niño a adquirir el hábito de usar un váter.

El método promociona un uso *regular* del lavabo y, a causa de esto, tiene la ventaja añadida de que los accidentes suelen ser menos frecuentes porque el niño no llega a tener tantas ganas que no puede aguantarse. Para conseguirlo:

- Anima a tu hijo a usar el váter de forma regular, cada hora por ejemplo, y también en momentos clave, como al despertarse, antes del baño, después de las comidas, o antes de salir de casa.
- No te limites a preguntar: la respuesta será invariablemente un no. Plantéalo de tal manera que sea una invitación positiva, pero no opcional: «Es hora de ir al lavabo, vamos» o «Venga, a ver si tienes que hacer pis o caca».

Si, cuando lo lleves al lavabo, tu hijo no necesita hacer nada, no importa. Simplemente dile: «Muy bien por intentarlo: dentro de un rato volvemos a probar si necesitas hacer pis». Del mismo modo no te alarmes si tienen un accidente fuera de su horario; simplemente di: «No importa, la próxima vez llegaremos al lavabo a tiempo».

Y si visitan espontáneamente el lavabo entre las horas establecidas, alégrate, porque es una prueba de que empiezan a tomar conciencia de sus necesidades, en lugar de tener que guiarse por el reloj.

PELEAS EN EL CUARTO DE BAÑO

Aunque los niños acostumbrados al método Puntual siguen muy bien las instrucciones y las órdenes y eso facilita mucho las cosas cuando se trata de aprender una nueva habilidad, en ocasiones pueden ser demasiado dependientes de una rutina y de que un adulto los dirija.

En consecuencia, es importante que solo uses el horario de visitas al cuarto de baño hasta que tu hijo se acostumbre a ir al váter muy a menudo y sepa llegar a tiempo. Cuando llegue ese momento, quítale la costumbre de seguir el horario y olvídate del temporizador: debe adquirir la confianza suficiente para fiarse de sus propias sensaciones. Al fin y al cabo, si va a jugar a casa de otro niño, puede que no haya ningún adulto cerca con el tiempo o la costumbre de llevarlo cada hora al lavabo.

El objetivo es que el horario convierta las visitas al lavabo en una actividad instintiva y natural, pero seguir un horario no debería convertirse en un fin en sí mismo. Cuando tu hijo entienda la idea y sugiera hacer una visita por sí solo, felicítalo; después, empieza a aumentar los intervalos de tiempo entre las visitas programadas hasta que ya no necesite los recordatorios.

> «A nuestra familia se le daban muy bien las tablas de pegatinas. Los niños se las dibujaban ellos mismos con un poco de nuestra ayuda. Creo recordar que Rebecca tenía una con forma de castillo de princesa. A Ashley le gustaban los animales y se hizo una con motivos de la selva. Y Vincent todavía tiene la suya: es una nave espacial con planetas. Les dejamos elegir sus propias pegatinas. Cuando pasan de los orinales al inodoro, trasladamos los cuadros a la parte trasera de la puerta del baño y guardamos las pegatinas cerca de las toallas, y cada vez que tenía éxito en una visita al lavabo, añadían una pegatina.»
>
> Tom, padre de Rebecca, nueve años, de Ashley, seis, y de Vincent, tres años.

SOSEGADO

CONSEJOS BÁSICOS

Lo bueno de los niños que empiezan a ir al váter a una edad ligeramente más tardía es que ya son más independientes y también físicamente más altos y más fuertes.

Muchos padres que optan por un método Sosegado deciden pasar por alto directamente la fase del orinal. Después de todo, muchos niños mayores parecen ligeramente incómodos cuando se sientan sobre un orinal pequeño, y es posible que decidan por sí solos que quieren copiar a mamá o papá y usar el váter «como los mayores».

Tanto si tu hijo usa el orinal antes que el váter o pasa directamente al inodoro, debes tener en cuenta un par de consecuencias del hecho de que tu hijo ya no sea un niño muy pequeño.

En primer lugar, son niños acostumbrados a estar en movimiento y a los que, con mucha probabilidad, no les gustará permanecer en un mismo lugar durante mucho tiempo.

En segundo lugar, a esta edad sus mentes también están más activas: es más difícil convencerlos o distraerlos y, del mismo modo, también es más probable que puedan querer imponer su propia voluntad, incluso si eso significa levantarse mientras está haciendo caca para coger algo de la otra punta del baño o para ir a buscar algo a su dormitorio.

Los padres que opten por un método Sosegado deberían tener siempre en cuenta la siguiente máxima: «¡el entretenimiento facilita las cosas!»

Aprovecha que tu hijo tiene un desarrollo más avanzado: guarda libros, puzzles y otros juguetes en una caja o un cesto en el baño para usar durante las visitas al lavabo. Así conseguirás que tu hijo sea más paciente y se quede quieto mientras esté usando el inodoro y, además, la idea de ir al lavabo y usar el inodoro se convertirá en una opción más atractiva.

Algunos padres incluso restringen el uso de ciertos juguetes a las visitas al baño y así consiguen mantener el interés del niño en ellos.

Los libros (los de imágenes y los que podéis leer juntos) tienen la ventaja añadida de reforzar el amor de tu hijo por la lectura y el aprendizaje, así como de desarrollar sus habilidades lectoras al mismo tiempo.

PELEAS EN EL CUARTO DE BAÑO

Las familias que opten por métodos de este tipo podrían pensar que, como el niño es ligeramente mayor y más independiente en otras áreas (puede comer o jugar solo), no necesita apenas ayuda para ir al lavabo.

No obstante, antes de llegar a esa conclusión, reflexiona durante un momento: cuando tu hijo aprendió a comer solo, tuviste que enseñarle qué era una cuchara o un tenedor, y te vio usándolos antes de que le dejaras comer solo. Lo mismo se puede aplicar al uso del váter. Recuerda que un inodoro puede parecer enorme, incluso para un niño de tres o cuatro años. Procura que tu hijo practique subiéndose al váter o váteres de tu casa. Ayúdale a subir y a bajar unas cuantas veces. Deja que las niñas vean a su madre y los niños, a su padre.

¡Y no temas ser creativo! Si tu hijo se siente cómodo sentado al revés en el inodoro y sujetándose en la cisterna, deja que lo haga. Al principio, todo consiste en superar el miedo: más adelante ya te ocuparás de refinar la técnica.

> «Antes de que Ellie empezara a usar el inodoro grande, usamos el orinal durante un par de semanas, pero siempre en el cuarto de baño. No le entusiasmaba la idea de pasar al baño, pero conseguimos convencerla instalando un reproductor de CD en el baño, sobre un taburete bajo donde podía alcanzarlo; dentro tenía un CD con cuentos de hadas y música. Lo encendía cuando quería ir al lavabo. Así conseguimos mantenerla allí sentada el tiempo necesario para que hiciera caca. Ahora estamos haciendo lo mismo con Pip.»
>
> Karen, madre de Ellie, seis años, y Pippa, cuatro.

«Ninguno de los dos niños usó primero el orinal. Cuando estuvieron listos, eran lo suficientemente mayores físicamente para subir y bajar; ¡y también eran lo suficientemente mayores para no tener miedo de caerse dentro del inodoro! Se divertían tirando de la cadena y lavándose. Fue genial: ¡Andy y yo nos hemos librado de limpiar orinales!»

Kate, madre de Joe, cinco años, y de Eddie, tres.

GUÍA PARA NIÑAS

- Anima a las niñas desde el principio a limpiarse de delante hacia atrás después de hacer caca. Así, las bacterias no les provocarán infecciones de orina.
- Enséñales que tienen que sentarse bien atrás y apuntar hacia abajo, o si no, es posible que salpiquen en el asiento o fuera del inodoro. No solo los niños deben procurar tener buena puntería.

CONSEJOS BÁSICOS SOBRE NIÑOS

- Anima a los niños a apuntar bien dentro del váter: podéis jugar a hacer tiro al blanco para que sea más divertido. Muchos niños pequeños se distraen y dejan que su chorro caiga en el suelo, en la tapa del váter o en el cesto de la ropa sucia... Dar una pasada con desinfectante por el suelo y la zona del asiento cada vez que se use el váter es también una buena costumbre.
- Cuando los niños aprendan a hacer pis de pie delante de un váter de adultos, te arriesgas a que se hagan daño en el pene. Si aprenden a usar un taburete, estarán a la altura suficiente para evitarlo. No obstante, muchos niños se pillan el pene con el borde del váter, así que procura explicarle que el asiento o la tapa del inodoro pueden caerse. Acostúmbralos a poner la mano libre delante, para evitar el golpe de una tapa del váter que podría caerse. También puedes instalar un gancho o algún sistema para evitar que la tapa se mueva, o bien quitarla temporalmente. Otra buena costumbre es evitar que el pene del niño entre en contacto con el borde del inodoro, donde puede haber gérmenes.

«¡Haz que usar el váter sea divertido! Usa «dianas» en el inodoro a las que los niños pequeños puedan apuntar. Unas gotitas de colorante alimentario en la cisterna cambiarán el color del agua cada vez que tires de la cadena: juega con ellos a adivinar de qué color será el agua cada vez que uséis el váter. Limpiarse el culito también puede ser divertido; explícale cómo hacerlo y enséñale a alcanzarse el culito: un modo es pegarle un rabo falso de animal en la parte trasera de la ropa y animarlo a que la alcacen y tiren de él.»

June Rogers, experta en continencia.

4

Fuera de casa y de paseo

«La felicidad es como hacerse pis
en los pantalones. Todo el mundo puede verla,
pero solo la sientes tú.»

Anónimo

Un váter es un váter, ¿verdad? Cuando tienes que ir, vas, y no te importa qué receptáculo tengas que usar. Desgraciadamente muchos niños no lo viven así. Incluso los niños que están acostumbrados a usar el orinal o el váter en casa tienen dificultades para aplicar esas habilidades cuando salen de casa.

De hecho, la idea de aventurarse fuera de casa con un niño pequeño sin pañal hace temblar a la mayoría de los padres. Una simple visita al centro de la ciudad puede convertirse en una pesadilla de navegación, que conlleva tener que hacer un mapa mental de todos los baños disponibles de la zona.

Los lavabos públicos van de los casi aceptables a los que son directamente tugurios y que, a menudo, requieren montones de toallitas antibacterianas y protectores de asiento para los váteres. Un viaje en coche puede conllevar que se mojen los asientos del coche y que tengas que soportar gritos desesperados de «Necesito hacer pis, ¡ahora!», mientras estás atrapado en el medio de tres carriles de coches parados.

Si en algún momento te planteas irte *de vacaciones* (y pasar por aviones, aeropuertos, trenes o ferris) sin llevarte pañales ni bragapañales, o ¡quieres presentarte al premio de padre intrépido del año o bien eres un optimista sin remedio!

No obstante, es posible «controlar» las habilidades recién adquiridas de un niño en el lavabo cuando está lejos de casa: solo se necesitan un poco de preparación y una disposición tenaz. En primer lugar, repasemos las principales situaciones a las que te vas a tener que enfrentar fuera de casa y que son comunes a cualquier método.

LOS PRIMEROS VIAJES

FAMILIA Y AMIGOS

Es probable que algunas de tus primeras aventuras lejos de casa sean viajes a casas de familiares o amigos. Se trata de una buena opción, porque serán entornos bastante familiares, donde los adultos serán sensibles a las necesidades de tu hijo y te ayudarán a cubrirlas. Además, siempre tendrás algo más de flexibilidad. Puedes llevar un orinal o un asiento reductor para el inodoro al que esté acostumbrado, e incluso su juguete o libro favorito.

Antes de ir, explica a tu amigo o pariente cómo manejas los accidentes en casa y pídele que mantenga una actitud positiva si algo va mal. Por supuesto, dile que te ocuparás de limpiar. Y pregúntale si hay alguna cuestión relacionada con el baño que debas saber, como por ejemplo si la cadena del baño hace mucho ruido, si el asiento del váter baila un poco o si es difícil llegar al rollo de papel higiénico o al interruptor de la luz.

Por último, ten en cuenta que las medicinas, cuchillas, productos de limpieza y otros productos peligrosos pueden no estar bien guardados bajo llave: acompaña a tu hijo y explícale que en el baño de otra persona no puede tocar nada que no sea el papel higiénico, el jabón, el grifo y la toalla.

A partir de ahí, limítate a seguir la misma rutina que en casa, asegurándote de que le haces algunos recordatorios más de los habituales.

CUIDADORES Y GUARDERÍAS

La mayoría de las guarderías y de los cuidadores estarán encantados de que tu hijo se vuelva cada vez más independiente. Si tu hijo va a la guardería, habla con ellos sobre sus normas de conducta y sobre cómo puedes ayudar a tu hijo a ajustarse a ellas. Por ejemplo, si sabes que tu hijo tendrá que usar un váter grande, puedes practicar en casa.

En el caso de los cuidadores, probablemente necesitarás que participen en la rutina del aprendizaje desde el principio. Si se niegan a hacerlo, plantéate si realmente te conviene dejar a tu hijo con ellos. Los buenos cuidadores se lo tomarán con calma, y, de hecho, deberían convertirse en el segundo apoyo de tu hijo en su búsqueda de independencia.

«Siempre apoyo y continúo el método de aprendizaje de un niño que está aprendiendo a usar el váter cuando está conmigo. ¿Cómo no iba a hacerlo? Se convierte en parte de la rutina cuando están en mi casa. Hablo con los padres para saber cómo lo están haciendo en casa, e intento actuar de forma coherente. En realidad, cuando ven a los otros niños usando el váter con normalidad, entienden que no hay nada de lo que preocuparse y que es algo que todo el mundo hace.»

Nikki, cuidadora de niños y madre de George, seis años.

«Aunque Joe no hacía demasiados progresos en su aprendizaje para dejar los pañales, seguía esperando que pudiera tener cierto control: en el parvulario no admitían niños con pañales, así que lo enviaba con calzoncillos y cruzaba los dedos. Por suerte, allí no tuvo nunca ni un solo accidente.»

Kate, madre de Joe, cinco años, y de Eddie, tres.

LAVABOS LOCALES

Una buena manera de continuar con las salidas a lugares familiares es hacer pequeñas excursiones controlables al centro de la ciudad. Para empezar, podrías intentar programar tu salida de manera que tu hijo no necesite ir al lavabo mientras estéis fuera, pero pronto necesitarás que tu hijo se acostumbre a usar un váter que no le resulte familiar.

Cuando lo hagas, intentar elegir lavabos pequeños y agradables al principio. Usar el lavabo de una librería o de un café es una primera experiencia más positiva que un lavabo público con 20 cabinas ocupadas en un centro comercial local. Procura pasar de uno a otro gradualmente.

LAVABOS PÚBLICOS

Todos sabemos que los estándares de higiene en los lavabos públicos varían bastante de uno a otro. Lo que necesitas hacer (con rapidez, porque probablemente tu hijo se esté retorciendo cuando llegues a él) es repasar los requisitos básicos necesarios para hacer que el lavabo sea cómodo.

Valora el tiempo de espera que hay. Si tu pequeño está desesperado, pide a otros adultos que te dejen pasar (la mayoría de la gente dejará que un niño pequeño se ponga al principio de la cola).

En el cubículo, usa un adaptador del asiento o una funda para proteger el asiento, si dispones de alguna. Si no, tal vez necesites ayudar a tu hijo a mantenerse estable en el asiento. Puedes ponerte en cuclillas y agarrarlo por la cintura, o incluso arrodillarte en el suelo para que pueda poner los pies sobre tus muslos para empujar. Puedes usar asientos de váter desechables o papel higiénico para protegerte las rodillas.

Uno de los mayores problemas que los padres suelen encontrarse en los lavabos públicos es el ruido, especialmente el que provoca tirar de la cadena (sobre todo, si es automático y se desencadena mientras todavía estás usando el inodoro) y el de los secadores de manos (mi hija Evie, de seis años, sigue asustándose de ellos).

No obstante, hay cosas que puedes hacer para reducir el ruido:

- Cubre con un trozo de papel higiénico el sensor de la cadena automática antes de sentara tu hijo en el váter o, incluso, si llevas tiritas, pega una encima del sensor. Puedes incluso comprar un dispositivo para detener la cadena. Las cadenas automáticas son más erráticas cuando un niño pequeño usa el váter, porque sus dimensiones son demasiado pequeñas para que el sensor las registre correctamente.
- Evita lavabos donde haya muchos cubículos.
- Lleva un reproductor de MP3 con algunas de las canciones favoritas de tu hijo y pónselas mientras estéis en el lavabo.
- Llévate tus propias toallas para las manos y así tu hijo no necesitará acercarse a los secadores de manos.
- Busca lavabos que tengan un solo inodoro en lugar de toda una fila. Si tienes que usar lavabos con muchos cubículos, procura elegir uno cuyos inodoros contiguos estén libres para que no se produzcan ruidos fuertes cerca.
- Si no le gusta el ruido que produce tirar de la cadena, deja que tu hijo permanezca fuera con la puerta abierta junto al lavamanos, mientras tú tiras de la cadena por él.

También vale la pena enseñar a los niños unas reglas de seguridad básicas para cuando estén en un lavabo público:

- Explícale que, aunque los lavabos públicos no tienen que dar miedo, hay que tener cuidado. Las niñas y niños mayores deben estar atentos para evitar los gérmenes y a las personas que fingen ser buenas personas pero no lo son.

- Establece claramente la regla de que tu hijo debe ir contigo al lavabo y no escaparse nunca. Si insisten en que respetes su privacidad, puedes quedarte fuera sujetando la puerta. No dejes que los niños pequeños echen el pestillo, especialmente en un cubículo al que no se pueda entrar por arriba.
- Dile a tu hijo que no hable con otras personas en un lavabo público a menos que sea una emergencia, y que, en ese caso, busquen a otro padre o madre con niños pequeños.
- Explica a tu hijo que la zona del lavabo no es un área de juegos. No deberían jugar con las cadenas de los inodoros, con los lavamanos ni con el papel higiénico.
- Enséñales a mantenerse a salvo de los gérmenes. Explícales cómo enjabonarse adecuadamente, limpiarse bien debajo de las uñas, aclararse y secarse. Puedes enseñarles una canción o una rima para que la canten en voz baja mientras se lavan para asegurarse de que lo hacen durante el tiempo necesario. «Feliz cumpleaños» es una buena opción.

VIAJES EN COCHE

Una vez que realmente te decidas a salir, será inevitable realizar viajes en coche sin pañales, así que empieza aceptando que los pequeños que todavía están aprendiendo a usar el váter y a controlar sus esfínteres no pueden aguantarse. Decirle a un niño de dos años que cruce las piernas hasta la siguiente estación de servicio en 30 kilómetros no es factible ni justo.

El mejor modo de enfrentarte a esta situación es prepararte, así perderás todo, o casi todo, el miedo.

Algunas cosas útiles para llevar en el coche podrían ser:

- **Toallitas húmedas:** ¡montones!
- **Un orinal transportable** o **hinchable:** pon dos bolsas de plástico en él, por si acaso una se rompe. Después de usarlo, simplemente tienes que cerrarlas con un nudo y dejarlas listas para tirar.
- **Ropa limpia:** para tu hijo, aunque un par de pantalones limpios para ti podrían ser de utilidad.
- **Bolsas de plástico:** grandes y con cierre para guardar la ropa húmeda.
- **Bolsas para pañales:** para guardar los desechos sólidos.

La mayoría de los padres también optan por poner algo debajo de su hijo por si se produce un accidente, que se producen más a menudo si un niño se queda dormido durante un largo viaje. Puedes elegir entre una funda impermeable para el asiento del coche, un cojín adaptable o cualquier otra cosa que sirva de protección: nosotros usábamos una de esas sábanas desechables para la cama y la poníamos entre el niño y el asiento.

> «Siempre llevamos un orinal de plástico con tapa en el asiento trasero del coche, concretamente, en el hueco entre los asientos de nuestros hijos. Si uno de ellos necesita ir, aparcamos a un lado de la carretera, le desabrochamos el cinturón y lo sentamos en el orinal. Esta opción es muy útil si fuera llueve, o si tienes que pararte en un carril de la autopista. Así nadie tiene que salir del coche.»
>
> Jen, madre de Lucas, cuatro años, y Edmund, dos.

> «Admito que usábamos unos vasos viejos de McDonald's cuando los niños tenían alguna emergencia y necesitaban hacer pis en el coche. Sin embargo, este truco no funciona con las chicas: la mía es demasiado tímida y sensible.»
>
> Annie, madre de Tom, catorce años, y de Olivia, diez.

AVIONES, TRENES E «INODOROS MÓVILES»

Este tipo de viaje es más fácil de lo que podrías pensar. Al menos tienes un lavabo cerca, y claramente señalizado.

No obstante, para facilitar las cosas, habla con tu hijo antes sobre cómo son los váteres que hay en los aviones y trenes. Dile que hay poco espacio y que en ocasiones el vehículo bascula o pega sacudidas, pero tranquilízalo diciéndole que lo ayudarás a mantener el equilibrio y procura conservar una actitud divertida y aventurera.

Asimismo, antes de hacer un viaje en avión, debes avisarlo del ruido fuerte que se produce al tirar de la cadena: ver la abertura y oír la repentina succión del váter de un avión puede dar mucho miedo a algunos niños, e incluso podría hacerlos retroceder en su aprendizaje. Es mejor apartarlo del inodoro y dejarlo en el umbral de la puerta mientras tiras de la cadena, bloqueándole la vista con tu cuerpo.

> «Un consejo para cuando necesitan hacer pis en la playa. Entierra el cubo y pon una bolsa de pañales en su interior para forrarlo y, sin más, tienes un inodoro muy discreto.»
>
> Annie, madre de Tom, catorce años, y de Olivia, diez.

TUS SEÑALES

Es fácil estresarse mucho si acompañas a un pequeño impredecible que no controla totalmente sus esfínteres. Ten en cuenta que el niño está lejos de casa, experimentando cosas nuevas, y que vosotros, los padres, también podéis distraeros y olvidaros de hacerle los recordatorios habituales, así que lo más probable es que el niño tenga algún accidente.

En cualquier caso, recuerda que no es tan grave. Y que incluso el más catastrófico de los accidentes puede resolverse con una bolsa de plástico y suficientes toallitas húmedas.

Así que intenta relajarte, necesitas enviar vibraciones positivas a tu hijo. Recuerda también que le transmitirás cualquier sentimiento negativo que te provoquen los lavabos públicos si estás ansioso. Por supuesto, debes seguir unas normas de higiene, pero si entras en un lavabo público como si fuera una instalación nuclear, repartiendo toallitas protectoras por todas las superficies y rociando a tu hijo con un espray antibacterias de pies a cabeza, conseguirás que asuma tu propia aprensión. Tu objetivo es transmitirles seguridad, no paranoia.

Bien, repasemos ahora algunos consejos más que te ayudarán a elegir el método adecuado para que tu hijo aprenda a dejar los pañales.

PRECOZ

PREPARACIÓN

Como los niños que siguen los métodos del enfoque Precoz suelen ser más jóvenes que los niños de otros métodos, debes ser bastante flexible fuera de casa.

Por supuesto, todo dependerá de hasta dónde hayas podido llegar. Si un niño ha estado siguiendo este método de aprendizaje durante cierto tiempo, es razonable esperar que responda a los estímulos habituales, de modo que puedes usar un orinal pequeño, uno más grande o un aseo público para ayudarle a hacer sus necesidades.

Si se trata de un niño más pequeño, o debes asistir a una cita formal, como un gran acontecimiento familiar, podría ser más prudente usar un pañal o un bragapañal solo durante ese día. Aunque vaya contra tu objetivo final, es mejor hacer una excepción ocasional que abocar a tu hijo a una situación en la que se pueda sentir mal, hasta el punto de mostrarse después reticente a continuar con ese «esfuerzo de equipo» especial que habéis empezado.

CONSEJOS BÁSICOS

Si te has decidido a ayudar a tu hijo a usar un inodoro para adultos o un aseo público, hay algunas cosas que pueden facilitar la situación:

- Quita a tu hijo la ropa interior y los pantalones o falda antes de empezar, si puedes. Después, levántalo y sujétalo encima del váter mirando hacia atrás, para que puedas tener más espacio; es una postura que le resultará familiar y que lo ayudará a centrarse en lo que está haciendo, en lugar de distraerse con lo que ocurra al otro lado de la puerta.
- También puedes sentarte tú en el váter, tan atrás como puedas, y poner al niño delante de ti. Así le proporcionas un lugar seguro en el que apoyarse y tú puedes sujetarlo por las piernas para que no se desestabilice.

> «Volamos a España con Lola y durante el trayecto en avión le puse un pañal. No podía estar segura de que llegáramos al lavabo del avión a tiempo si había cola o si las señales de abrocharse el cinturón estaban encendidas, y no me apetecía nada sentarla en el orinal delante de todos los demás pasajeros. Pero en cuanto llegamos a nuestro apartamento, se lo quité y fuimos a buscar el baño juntas; no tuvo problemas en hacer pis en cuanto usé los ruidos para motivarla. Cuando fuimos a la playa, cogí unos cuantos pañales y le dejé que hiciera sus necesidades en ellos, y después simplemente los guardamos en una bolsa para pañales.»
>
> Jane, madre de Lola, un año.

INTENSIVO

PREPARACIÓN

Si tu hijo ha seguido un método muy rápido de aprendizaje para dejar los pañales, es probable que no haya tenido tiempo de acostumbrarse a todos los tipos y formas de váteres, y puede ponerse más nervioso que un niño que haya seguido un método más gradual. Para tranquilizarlo, te proponemos un par de cosas:

- Empieza a llevar a tu hijo a lavabos públicos cuando salgas de casa, incluso aunque no lo necesite. Muéstrale que usas un lavabo público, aunque solo vayas a lavarte las manos y a mirarte en el espejo. Así, conseguirás que se acostumbre a los ruidos y a la rutina.
- Crea una «ruta del pis» con ellos. Haz que se involucre pensando dónde están los aseos en los que puede hacer pis en su ciudad. En viajes más largos, comprueba los mapas y asegúrate de que sabes dónde puedes encontrar estaciones de servicio o establecimientos de comida rápida con lavabos.

CONSEJOS BÁSICOS

Algunos padres creen que continuar con el aprendizaje para dejar los pañales mientras se está de vacaciones fuera de casa es una locura. Sin embargo, algunos partidarios de este enfoque creen que es el momento ideal para llevar a cabo un método de aprendizaje intensivo.

Argumentan que algunos niños responden mejor al aprendizaje lejos de casa porque la nueva ubicación los estimula a adoptar nuevos hábitos. En vacaciones, las familias suelen relajarse y las rutinas son más laxas, lo que permite que todo el procedimiento sea menos estresante para tu hijo. Si además viajas con amigos que tengan hijos ligeramente mayores, tu hijo podría intentar emularlos para impresionar a los «niños mayores», lo que resulta un incentivo fantástico.

Además de esto, si eliges un lugar con un clima cálido, puedes dejar a tu hijo desnudo y colocar orinales en lugares estratégicos que pueda usar cuando sienta la necesidad. Sin duda, el aprendizaje del uso del orinal es mucho más fácil en un lugar con buen tiempo que ¡en unas vacaciones británicas con viento y humedad!

> «A menudo sugiero que cuando los niños han superado la fase inicial de confusión en la que se pasa del pañal al orinal, el mejor váter portátil para los niños pequeños en un coche es, en realidad, un pañal. Dejaba a Luca hacer pis encima de un pañal, ya que gracias a su capacidad de absorción era más fácil deshacerse del contenido después (incluso en las bolsas para pañales portables) y, desde luego, potencialmente menos problemático que llevarlo a que hiciera pis detrás de un árbol. Además, siempre llevo uno en el bolso cuando cogemos un avión, porque me aterra que nos tengamos que quedar en el asiento durante mucho tiempo porque haya turbulencias, o algo así, y que no pueda llegar al lavabo a tiempo.»
>
> Liat, madre de Luca, cuatro años.

PUNTUAL

PREPARACIÓN

Probablemente, tu hijo estará ya bastante habituado a usar el orinal o el váter y se sentirá cómodo y seguro en su rutina habitual del baño. El problema ahora es ¿cómo ayudar a tu hijo a adaptar sus rutinas cuando estéis fuera de casa?

No obstante, con un poco de preparación, sigue siendo posible mantener una rutina semejante a la normal, incluso en las circunstancias más impredecibles:

- Antes de irte, asegúrate de llevar todo aquello que pueda resultarle familiar y agradable: un asiento reductor para el váter, su libro o juguete favorito, o una toallita de casa. Si le apetece, podría ayudarte incluso a dibujar una tabla de pegatinas especial para las vacaciones, decorada con cubos y palas de arena, dibujos de toda la familia, y conchas pegadas con pegamento... En definitiva, cualquier cosa que haga volar su imaginación, pero que lo ayude a seguir su rutina.
- Si tienes problemas para recordar todo lo que sueles hacer en casa, elabora una lista o un diagrama para tu hijo y repasadlo juntos. La rutina se convierte en el apoyo del niño cuando las demás circunstancias parecen extrañas y posiblemente amenazantes.

CONSEJOS BÁSICOS

Una vez que has llegado a tu destino:

- Piensa en lo que harías en casa. Si normalmente animas a tu hijo a ir al lavabo cuando se despierta o después del desayuno, asegúrate de hacerlo también en vacaciones. Da igual si lo hace en el baño de un hotel, en un orinal en el exterior de una tienda o al lado de la carretera: lo importante es el momento, no la ubicación.
- ¿Recuerdas tu horario de visitas al lavabo? Respétalo. Si puedes, haz pausas cada hora u hora y media, aunque tu hijo diga que no necesita ir. Al mismo tiempo, haz que vaya toda la familia al lavabo también. «Ya que estamos aquí, salgamos todos a ver si encontramos el lavabo.»
- Canta vuestra habitual «canción del lavabo», sigue usando tu tabla de pegatinas y recompénsalo como siempre, aunque tengas mil cosas en la cabeza o debas estar atenta a los altavoces... Todos estos pasos te permitirán conservar su confianza.

«A menudo conducimos largas distancias cuando nos vamos la familia entera de vacaciones, pero planeamos bien el viaje y marcamos con pegatinas de colores los puntos en el mapa donde podemos parar e ir al lavabo. Francia es uno de los mejores países para viajar por carretera: las autovías están mucho más vacías que en Inglaterra y tienen una buena red de «aires», que son como estaciones de servicio pero mucho mejores. La mayoría tienen áreas de picnic con mesas y puedes pararte a comer algo e ir al lavabo. Si todo la familia lo hace, los pequeños aceptan la necesidad de parar también.»

Tom, padre de Rebecca, nueve años,
Ashley, seis, y de Vincent, tres.

SOSEGADO

PREPARACIÓN

Cuando tratamos con niños que siguen un método Sosegado, siempre debemos aprovechar su deseo de ser independientes y de hacer las cosas por sí mismos, al tiempo que les proporcionamos el respaldo para ayudarlos a hacerlo sin que pierdan la confianza en sus habilidades.

La ventaja de estos niños es que suelen ser mayores y, por tanto, les resulta más fácil ocuparse de sus propias necesidades. También les resulta más sencillo seguir las explicaciones e instrucciones.

Muchos niños que empiezan tarde y que han tomado la decisión de dejar de usar pañales por sí solos se obsesionan con la idea de hacer pis y caca en determinado lugar. Como ven a mamá y a papá ir al lavabo en casa, los copian, se acostumbran a su propio orinal y a su váter y llegan a la conclusión de que su casa es el lugar para hacer pis y caca.

Por eso, la idea de que mamá, papá o el propio niño puedan hacer pis o caca en algún sitio diferente les resulta muy extraña. ¿Qué pasa si no funciona? ¿Y si da miedo? ¿Cómo se hace? La solución es conseguir que tu hijo llegue por sí solo a la conclusión de que también puede hacer pis y caca fuera de casa.

CONSEJOS BÁSICOS

- Prepáralo. Habla con tu hijo sobre ir a un sitio nuevo, con nuevos lavabos, pero explícale que tú estarás allí para ayudarle y que tendrá su asiento reductor o su toallitas, o cualquier cosa que lo haga sentir seguro.
- Si puedes, usa un orinal o un reductor que ya haya usado.
- Plantéate darle la posibilidad de llevar un bragapañal o braguitas de aprendizaje si quieren. Así les quitarás la presión de tener que hacerlo todo bien a la primera.
- Recuerda que algunos niños se muestran bastante posesivos con su pis y su caca, y no les gusta ver que desaparecen en el váter de un sitio nuevo; pregúntales si quieren tirar ellos mismos de la cadena, así les pasas el control.
- No te disgustes si ocurre un accidente: procura que tu hijo vea que entiendes que le pides que haga grandes cambios y que no pasa nada si no lo hacen siempre todo bien. Tranquilízalo diciendo que todo el mundo tiene a veces accidentes, y que todo irá mejorando conforme se acostumbre a las cosas nuevas.
- A los niños mayores se les puede enseñar a reconocer el símbolo de los lavabos en las áreas de servicio, para que puedan recordar a los adultos que hay que hacer una parada; de nuevo, das poder a tu hijo y le demuestras que confías en él y que le cedes el control.

«Hay que tener cuidado con dejar que el niño vuelva a usar pañales o bragapañales, o con tomarse los accidentes demasiado a la ligera, ya que puede acabar suponiendo un problema. Corres el riesgo de mandar mensajes contradictorios al niño y confundirlo, lo que puede acarrear problemas de comportamiento. Establece unos límites claros y asegúrate de que tu hijo los conoce.»

June Rogers, experta en continencia.

«Con Cara pasamos algunos apuros importantes. Empezó a usar el orinal bastante tarde, porque yo trabajaba a jornada completa y nunca encontraba el momento adecuado para empezar. Al final, dejó de usar pañales con cuatro años, y creo que ahí radica la causa de que sea tan maniática con los lavabos (tiene miedo de tocar las cosas). Está bien en casa, pero no le gusta usar lavabos "extraños"; ¡y eso es un verdadero problema en vacaciones! Intentamos convencerla y hacer un trato con ella. Al final, descubrí que si le dejaba usar un gel de manos antibacteriano, está más tranquila.»

Emma, madre de Cara, ocho años.

GUÍA PARA NIÑAS

- Enseña a las niñas a ponerse en cuclillas y a apartar bien los pies y la ropa para que puedan hacer pis en el exterior sin problemas. Puedes ayudarlas enseñándole la posición correcta y aguantándola mientras se agacha.

- A menudo, los padres preguntan qué se supone que tienen que hacer cuando están fuera de casa con su hija y tiene que usar un aseo público. Algunos padres con niñas pequeñas que están empezando el aprendizaje, las ponen encima del orinal en la parte trasera del coche o al lado. Otros buscan aseos para discapacitados que son unisex. También los hay que piden a una mujer que compruebe si el lavabo de mujeres está vacío y van directamente al cubículo con la niña pequeña: la mayoría de las mujeres no se ofenderán. Por último, otros cogen a la niña en brazos y le tapan la visión con el hombro y van directamente a los aseos de caballeros; después se limpian con toallitas o geles de mano fuera del lavabo, en lugar de quedarse dentro para usar los lavamanos. Lo que no nunca deberías hacer es pedir a alguna desconocida que acompañe a tu hija al lavabo de señoras sin ti. No te separes de tu hija.

CONSEJOS BÁSICOS SOBRE NIÑOS

- Aunque algunos padres insisten en que es más difícil enseñar a los niños a dejar de usar pañales que a las niñas, los niños lo tienen más fácil para hacer pis fuera de casa, porque pueden hacerlo de pie. Así, puedes acostumbrarlos a hacer pis discretamente en una alcantarilla, en un trozo de césped o junto a un árbol. Algunas veces hacer pis al aire libre cuando estás de viaje es mucho más agradable que usar un aseo público sucio o estropeado, y a la mayoría de la gente no le importa que un niño pequeño haga pis, ¡si lo hacen con cuidado y orden!
- Asegúrate de que los niños se secan bien. Aunque los niños corren menos riesgos que las niñas si no se secan correctamente, porque es más difícil que las bacterias entren en su tracto urinario, se les puede irritar la piel y oler mal si no lo hacen. Las toallitas húmedas son una buena opción para cuando se sale con niños.

«Procura que salir de casa no se convierta en un gran problema: si tu hijo ve que te pones ansioso, te imitará. Hay muchos orinales portátiles y asientos para el váter en el mercado que facilitan mucho ir al lavabo fuera de casa. Además, si acabas de quitarle a tu hijo los pañales, procura no volver a ponérselos "por si acaso". Solo conseguirías confundirlo.»

June Rogers, experta en continencia.

5
Control nocturno

«No quiero ser una niña maloliente
que se hace caca, sino una niña feliz,
que huela a rosas.»

Drew Barrymore, actriz.

Sin duda, todo va por buen camino. Has seguido el método elegido y tu hijo empieza a controlar el tema del váter: incluso se maneja aceptablemente bien en el mundo exterior. Deberías sentirte bastante orgulloso de ti mismo y de tu hijo.

Ahora bien, todavía te queda alguna batalla más por ganar y ahora te enfrentas a una decisiva. Y esa batalla la vas a ganar (sí, a ganar) en el dormitorio. Ha llegado el momento de conseguir que el niño permanezca seco de noche: es el obstáculo final de esta carrera de fondo.

¿DE VERDAD ES MUCHO MÁS DIFÍCIL QUE EL APRENDIZAJE DIURNO?

Es curioso comprobar que muchos libros y artículos sobre dejar los pañales no llegan a tratar directamente las horas de noche. Te guían a lo largo de los días iniciales, te explican cómo salir de casa, y te animan cuando te enfrentas al inodoro de adultos, pero cuando se trata de dar un consejo sólido y práctico para enfrentarte a la noche, se limitan a hacer comentarios vagos como «lleva un poco más de tiempo», o «depende del niño».

Algunos niños aceptan muy bien el paso a dormir sin pañales, pero de todas las fases del aprendizaje, esta es la que parece plantear problemas y dudas a más largo plazo. Y también es sobre la que los padres suelen hablar menos. Mientras que la mayoría de nosotros ha bromeado en algún momento sobre nuestra desesperación y nos hemos quejado con nuestros amigos y parientes cuando el aprendizaje diurno iba terriblemente mal, un elevado número de mamás y papás que permiten que sus hijos, ya mayores, duerman con bragapañales de noche o que mojen regularmente la cama, ni siquiera lo mencionan.

En los peores casos, se convierte en una especie de secreto familiar, que incluso puede impedir que los niños pasen noches fuera o que las familias compartan vacaciones con amigos, ya que lo consideran algo socialmente inaceptable o incluso vergozonso. Muy bien, analicemos este tema con cierta perspectiva. Estamos tratando con niños pequeños (y por «pequeños» no me refiero a niños de parvulario, sino que también incluyo a los de cinco o seis años) que necesitan nuestra ayuda y paciencia, no que los juzguemos o que los hagamos sentir culpables.

Por supuesto, tener que enfrentarte a sábanas mojadas y a montones de ropa sucia todas las mañanas es molesto para el padre, y es fácil sacar la situación de quicio. No obstante, debemos recordar que estamos hablando de pis, no de una enfermedad seria o de problemas de comportamiento graves. El pis es una molestia, no una catástrofe.

¿CUÁNDO DEBERÍAS PREOCUPARTE?

Saber a qué edades los niños suelen conseguir mantenerse secos de noche puede resultarte útil, y probablemente te sorprendas al comprobar que es mucho más tarde de lo que podrías esperar, puesto que los expertos no esperan que un niño se mantenga seco de noche hasta los cinco años.

Como promedio, las estadísticas demuestran que solo un 66 % de los niños consiguen controlar sus esfínteres de noche antes de cumplir los tres años. Antes de cumplir los cuatro, el porcentaje ronda el 75 %; con menos de cinco años, se acerca al 80 %, y antes de los seis, al 85 %. Asimismo, el 10 % o 13 % de los niños de seis años sigue mojando la cama, y entre el 7 % y 10 % de los de ocho años.

Por otro lado, si uno de los padres del niño mojaba la cama, hay un 75 % de probabilidades de que el niño tenga también problemas para controlar sus esfínteres de noche. Si ambos padres tenían dificultades, el porcentaje aumenta al 90 %. Así que si a tu hijo le sigue costando controlarse de noche, no te preocupes, no estás solo.

La mayoría de los especialistas no clasifican estos accidentes durante la noche como «enuresis nocturna» hasta que el niño tiene más de cinco años. Recuerda que permanecer seco de noche requiere desarrollar una serie de habilidades evolutivas y procesos físicos diferentes a los requeridos para controlar los esfínteres de día.

Para que un niño se mantenga seco de noche, su cerebro debe evitar que una vejiga llena se vacíe, o su vejiga debe enviar una fuerte señal al cerebro para despertarlo a tiempo de llegar al lavabo. Y es un mecanismo que suele requerir cierto tiempo. Si todavía no está listo, hay poco que tú o tu hijo podáis hacer. Además, deben incrementarse progresivamente los niveles de producción de la hormona vasopresina, encargada de suprimir la producción de orina durante la noche, y la edad a la que esto ocurre varía según el niño. Por otra parte, su vejiga tiene que ser lo suficientemente grande como para contener mucha orina, lo que también requiere cierta madurez física.

En cualquier caso, puedes estar seguro de que tu hijo no moja la cama ni por pereza ni por molestar: es muy probable que se disguste tanto como tú, así que no lo castigues ni lo culpes por mojar las sábanas de noche, por mucho que te saque de quicio.

NO TE PREDISPONGAS A FRACASAR

Procurando ver siempre la situación en perspectiva, abordaremos el tema del control nocturno en dos partes. En este capítulo, repasaremos varios métodos para que el niño aprenda a controlar sus esfínteres de noche, asumiendo que es una *progresión natural del aprendizaje diurno,* que hasta ahora no has tenido grandes problemas de noche y que simplemente vas a dar el siguiente paso hacia una vida completamente libre de pañales.

Recuerda: no des por sentado que el control nocturno se va a convertir en un problema. De hecho, la mayoría de los niños asume esta nueva fase con aplomo y el proceso es tan rápido como el aprendizaje diurno. No obstante, si las cosas no salen según lo planeado y tu hijo no consigue adquirir el control deseado de noche, el siguiente capítulo contemplará las posibles causas y las opciones que tienes.

PRECOZ

Si sigues un método Precoz, es posible que te preguntes si es posible conseguir que un bebé tan pequeño deje de usar pañales de noche. Después de todo, los bebés hacen pis cada hora. Entre los 18 meses y los dos años, sus vejigas se vuelve más estables y esperan a estar llenas antes de vaciarse, y los periodos entre los pises se alargan, pero cuando son muy pequeños, los bebés hacen pis cada 20 minutos más o menos. ¿Significa eso que los padres no duermen durante casi de un año?

Desde luego, el método Precoz requiere que los padres se involucren 24 horas al día, porque el control nocturno de los esfínteres no es solo una habilidad aprendida, sino que va ligada al desarrollo fisiológico. Sin embargo, hay diferentes grados de participación, y depende de ti, de tu hijo y de tu familia elegir cuál os resulta más cómodo.

¿CUÁNDO DEBERÍA EMPEZAR?

Algunos padres valientes quitan los pañales al niño desde el principio. Aunque esta iniciativa solo puede tener éxito si practicas el colecho. La directriz habitual es que tu hijo debería estar en la misma habitación que tú (pero no en la misma cama) durante los primeros seis meses. No obstante, si decides practicar el colecho, hay varias reglas de seguridad que puedes seguir para reducir el SMSL (Síndrome de Muerte Súbita del Lactante). No duermas nunca con tu hijo si fumas, si has bebido, si tomas drogas o alguna medicación que cause somnolencia. Pon a dormir a tu bebé bocarriba, no uses almohadas ni cubiertas gruesas, y quítale los cordones, hilos o lazos a tu pijama o a la ropa de alrededor. Si quieres más consejos para practicar el colecho con seguridad, puedes consultar *Cómo dormir a tu bebé* (Barcelona, Libros Cúpula, 2009).

Para conseguir que un bebé bastante pequeño deje de usar pañales por la noche hay que ser capaz de detectar los gestos que hace cuando necesita hacer pis o caca: puede retorcerse, hacer un ruido o un quejido. Y para darte cuenta debes estar a su lado, en la misma habitación.

Así, cuando detectes que tu hijo tiene una necesidad, simplemente debes levantarlo y sentarlo encima de un orinal o de un barreño grande que guardes al lado de la cama. Muchos padres que siguen un método Precoz ni siquiera necesitan encender la luz, lo que resulta favorable, ya que si la habitación se mantiene a oscuras, los niveles de melatonina siguen altos, y los padres y el bebé pueden descansar tranquilos y felices.

Otros prefieren hacer todo el trayecto hasta el cuarto de baño de noche y sujetar al niño encima del váter o incluso de la bañera (¡donde es más fácil hacer puntería!). Los niños muy pequeños incluso consiguen hacer pis directamente encima de un pañal abierto.

No obstante, si tras leer los párrafos anteriores sientes escalofríos, puedes optar por un método Precoz pero bajando la intensidad de la rutina de aprendizaje por la noche. Algunos padres optan por poner un pañal al bebé cuando es muy pequeño hasta que llegue a una edad en la que cualquier niño pueda aprender a controlar sus esfínteres de noche.

Así, hay padres que simplemente ponen un pañal al bebé y dejan que lo use cuando lo necesite, mientras que otros optan por usar el pañal como una especie de seguro, pero siguen estando atentos a las señales y, si llegan a tiempo, lo ponen encima del orinal.

CÓMO CONSEGUIR BUENOS RESULTADOS

Si tu bebé duerme en la misma cama que tú, querrás asegurarte de que tu cama permanezca seca de noche, por tu bien, por el de tu pareja y por el del niño. Usa un buen protector de colchones debajo de la sábana y una sabana bajera absorbente desechable. Así podrás quitarla y cambiarla rápidamente si tu bebé tiene un accidente, sin tener que volver a hacer toda la cama. Puedes comprar protectores impermeables de lana, pero obviamente tendrás que lavarlos cada vez que se ensucien.

También puedes tapar al bebé con una sábana fina de celulosa, para proteger el edredón o la cubierta de accidentes: especialmente los que puedan causar los niños. No obstante, recuerda que no debes tapar demasiado al bebé con cubiertas, porque el exceso de calor es una causa de SMSL.

Por otro lado, si el bebé duerme sin pañales, es mejor que lo dejes desnudo de cintura para abajo para que esté listo cuando tengas que llevarlo corriendo al orinal. Para que no se enfríe, ponle una parte de arriba calentita y unos calcetines de bebé, y cúbrele las piernas con las sábanas. Tu calor corporal también lo mantendrá caliente.

CÓMO ACTUAR DURANTE LA SIESTA

Durante la siesta, puedes seguir haciendo lo mismo que hagas de noche. Sin embargo, si tu bebé duerme la siesta en un moisés o en una cuna sin que estés a su lado, deberás seguir usando pañales hasta que empiecen a despertarse secos con frecuencia.

Además, puedes decirle las palabras o sonidos motivadores en cuanto se despierten de la siesta: así empezarás a acostumbrarlos a las rutinas que deberán seguir más adelante por sí solos.

> «No es tan difícil como parece, de verdad. Alrededor de los seis meses, empezamos a quitarle los pañales a Lola por la noche. En realidad, ahora no necesita hacer pis tan a menudo. Y cuando tiene que hacerlo, empieza a retorcerse y a apretar sus pies contra mi estómago; normalmente eso me despierta lo suficiente como para ayudarla. Usamos un barreño viejo que tenemos junto a la cama y ponemos una sábana desechable debajo para que absorba las salpicaduras, pero ahora empezamos a llevarla al lavabo. Ahora casi lo hacemos dormidos... y después no nos cuesta demasiado volver a dormirnos.»
>
> Jane, madre de Lola, un año.

INTENSIVO

¿CUÁNDO DEBERÍA EMPEZAR?

En los métodos del enfoque intensivo, hay dos modos de actuar. Por un lado, la mayoría de los expertos están de acuerdo en que buena parte de los niños no están listos para el aprendizaje nocturno hasta que han adquirido el control diurno, lo que suele ocurrir 10 meses después de empezar. Así que sugieren dedicarse al aprendizaje diurno, y esperar unos cuantos meses, hasta que el niño empiece a despertarse con los pañales secos por la mañana con regularidad, lo que suele ocurrir cuando el niño ronda los tres años. Ese es el momento adecuado para abordar el problema de las noches, y debe hacerse con la misma intensidad y mentalidad que se tuvo al empezar.

No obstante, otros partidarios de los métodos intensivos se preguntan de qué sirve hacer pasar al niño (y al resto de la familia) por el mismo proceso dos veces, de ahí que propongan elegir un momento (ligeramente más tarde para tener la seguridad de que el niño esté listo físicamente) y realizar todo el proceso de una sola vez. El día en que se dejan de usar pañales, se dejan de usar totalmente, incluso de noche.

La ventaja de esta opción es que no damos el mensaje al niño de que aceptamos que siga haciendo pis de noche en un pañal, sino que le transmitimos un mensaje claro y directo: no va a usar más pañales, en ningún momento.

No obstante, debes asegurarte de que no te precipitas, porque si le quitas los pañales demasiado pronto y tu hijo no está listo para aguantar toda la noche, corres el riesgo de que se sienta demasiado presionado y fracasado, y acabes recurriendo de nuevo a los pañales. Por tanto, solo debes usar este método cuando tu hijo esté mental y fisiológicamente listo. Para comprobarlo, obsérvalo durante unas semanas: fíjate en cuándo moja el pañal y cuándo no, en si se hace pis justo al acostarse o cuando se despierta.

Toma buena nota de todo, y empieza *solo* cuando tengas una seguridad total de que es el momento adecuado.

> «Solo se puede compaginar el aprendizaje diurno y nocturno cuando el niño es mayor y tiene una vejiga madura. La mayoría de los niños tardan unos 10 meses en estar fisiológicamente listos para controlar sus esfínteres de noche, después de hacerlo de día. Antes

de empezar, debes fijarte en si se levanta con el pañal seco por las mañanas y después de las siestas; de lo contrario, tienes muchas posibilidades de fracasar.»

June Rogers, especialista en continencia.

CÓMO CONSEGUIR BUENOS RESULTADOS

El truco de los métodos rápidos para enseñar al niño a controlar sus esfínteres de noche es conseguir que tu hijo asimile que ya no puede contar con los pañales. Asimismo, procura facilitarle el proceso todo lo que puedas preparándole el baño, el dormitorio, la ropa y el camino hasta el lavabo. Recuerda, si tu hijo no está fisiológicamente listo, ningún incentivo será suficiente para que mágicamente permanezca seco de noche; ahora bien, si compruebas que se despierta con los pañales secos y antes de hacerse pis en la cama, puedes usar las ideas siguientes para motivarlo a usar el baño:

- Compra a tu hijo «braguitas o calzoncillos de niños mayores» que le resulten atractivos. Si puedes, ve a comprar la ropa interior con él y déjale elegirla. Así conseguirás que le haga ilusión ponérsela, y convertirás la nueva rutina de la hora de acostarse en algo positivo y divertido.
- Lleva siempre a tu hijo al lavabo antes de acostarlo, para que su vejiga al menos empiece la noche vacía.
- No le dejes beber refrescos a partir de última hora de la tarde. Algunos padres limitan todas las bebidas una hora antes de acostarse, aunque algunos estudios parecen demostrar que no sirve de gran cosa: lo fundamental es que el cerebro envíe una señal a la vejiga, y no tiene nada que ver con la cantidad de líquido consumido.
- Ponle un punto de luz nocturno en su habitación y quizá también en el suelo para que el camino hasta el lavabo no le dé miedo, ni se tropiece. Los niños más nerviosos podrían aplazar un viaje al lavabo por miedo a salir de la cama.

- Usa un protector impermeable para el colchón, y esterillas absorbentes bajo la sábana principal. Así, si ocurre algún accidente nocturno, puedes cambiarlas rápidamente. Algunos padres prefieren esa opción a usar bragapañales, para no transmitir el mensaje de que puede seguir usando pañales.
- Sé positivo. Si tu hijo está psicológicamente preparado, puede controlar sus esfínteres en muy poco tiempo, especialmente si ha conseguido buenos resultados con un método Intensivo de día; pero no te enfades ni te disgustes con tu hijo si le cuesta un poco conseguir el control de noche, recuerda que puede ser una cuestión física que escape a su control.

CÓMO ACTUAR DURANTE LA SIESTA

Durante la siesta, simplemente debes continuar con el mismo método intensivo que sigues de noche. Si no se usan pañales, no se usan y punto. Usa protectores para la cama, asegúrate de que visite el lavabo antes de ir a dormir y mantén un buen ánimo. El método Intensivo no tiene nada de complicado: solo hay que echarle valor, nada más.

> «Con Lucas, quisimos enfrentarnos a todo el proceso de golpe e intentamos hacer el proceso de aprendizaje diario y nocturno a la vez, pero, simplemente, no estaba listo. De día, conseguía mantenerse seco, pero de noche, no. Solo tenía dos años y ocho meses. Además, despertarse húmedo todas las mañanas empezó a hacerle perder confianza durante el día. Así que simplemente le compramos unos bragapañales que no había usado antes y le dijimos que serían sus «calzoncillos nocturnos» por el momento, y así conseguimos quitarle parte de la presión. Cuando, al cabo de seis meses, consiguió un control total de sus esfínteres de día, volvimos a intentarlo. Entonces solo tuvo un puñado de accidentes nocturnos y enseguida consiguió mantenerse seco de noche. Ahora, con Edmund, sabremos esperar.»
>
> Jen, madre de Lucas, cuatro años, y de Edmund, dos.

PUNTUAL

¿CUÁNDO DEBERÍA EMPEZAR?

Las familias que optan por un enfoque Puntual suelen seguir un método similar a los Intensivos, pero de manera menos radical. Los seguidores de un método Puntual esperan hasta a que su hijo consiga un control total diurno y a que se despierte regularmente con los pañales secos. En ese momento, inician el aprendizaje nocturno con el mismo método gradual, programado y rutinario que han aplicado siempre. Éste es el método por el que optan mayoritariamente las familias actuales y que suele dar muy buenos resultados.

El objetivo del método es que todo parezca natural y que el niño no se asuste ni se sienta presionado: el proceso se divide en fases fáciles de comprender, y tu hijo solo se enfrentará a objetivos que sea capaz de alcanzar, contando siempre con tu apoyo y ayuda.

En estos métodos, algunos padres usan bragapañales durante un tiempo, pero los presentan como «calzoncillos/braguitas para dormir» o «para ir a la cama». Es importante distinguirlos de los pañales para bebés que están acostumbrados a usar presentándolos como ropa interior para niños mayores que usarán ahora hasta que estén listos para llevar ropa interior normal. Si ya han llevado bragapañales durante el día, compra una marca diferente para marcar una diferencia.

Algunos padres recurren a esta misma táctica, solo que, en lugar de bragapañales, usan calzoncillos de aprendizaje, que son muy parecidos a la ropa interior normal pero incorporar un grueso refuerzo absorbente y un forro impermeable. Independientemente de qué opción elijas, asegúrate de que se los pones justo antes de que se vaya a dormir, y se los quitas cuando se despierte.

¡No caigas en la tentación de usar bragapañales o calzoncillos de aprendizaje cuando salgas a la calle!

Cuando tu hijo se despierte seco unos cinco días a la semana, puedes comprarle ropa interior normal, pero procura que sea una ocasión especial: deja que elija el modelo que más ilusión le haga, porque cuanto más le guste, menos querrá que se moje y que huela mal.

CÓMO CONSEGUIR BUENOS RESULTADOS

Revisa tu rutina diaria. Llevas siguiéndola bastante tiempo y tu hijo la tiene totalmente asimilada. Cuando es necesario, puede desviarse de ella, pero generalmente sabe a qué atenerse, qué se espera de él y cómo hacerlo.

Por tanto, lo único que debes hacer es aplicar el mismo método que sigues de día a las noches:

- La semana previa a prescindir de los pañales por la noche, habla con tu hijo sobre el gran acontecimiento. Marca el día en el calendario. Cómprale ropa interior. Explícale cómo vais a hacerlo: «Aquí tienes el interruptor de la luz para que puedas encenderla de noche y así veas cómo llegar al baño; aquí estará tu taburete y aquí, el papel higiénico, igual que de día; después volverás a tu habitación, cerrarás la puerta, te meterás en la cama y te taparás bien...».
- Ayuda a tu hijo a hacer un póster sobre el tema: puede dibujarlo él mismo o usar unas cuantas fotografías digitales de él saliendo de la cama, yendo al lavabo, sentándose en la taza y volviendo a la cama. Así reforzarás el procedimiento en el cerebro.
- Si tu hijo es miedoso, dale un osito «que lo acompañe al lavabo de noche» o alguna muñeca que se pueda llevar al lavabo. Así, puede sentar al muñeco en el suelo del lavabo y luego volver con él a la cama.
- Establece algún sistema de recompensas igual que hiciste con el aprendizaje diurno. Dibuja alguna tabla de recompensas nueva, para usar solo de noche. Puedes decorarla con lunas y estrellas, y ponerla en la puerta de su dormitorio o en algún lugar visible.

Procura darle premios solo cuando consiga algún logro importante: por ejemplo, si no se moja durante tres días por la noche, gana un cómic o una visita al parque.

> «El problema que tuvimos con Stanley era que tenía que andar unos cuantos metros por el pasillo hasta llegar al baño. Así que pusimos unos cuantos puntos de luz nocturnos, y también encontramos una luz a pilas que sirve para poner en un estante o en un cajón (es una luz con forma semicircular que, al apretarla, se enciende durante unos minutos antes de volver a apagarse). La pusimos en la pared que está justo al lado de la puerta del dormitorio de Stanley y le encantó. Solía decir que era una luz para astronautas. Era muy útil, porque permanecía encendida el tiempo justo para ir al lavabo y volver a la cama.»
>
> Alex, padre de Stanley, cinco años, y de Poppy, dos.

Asimismo, debes plantearte cuánto quieres involucrarte durante la noche, es decir: ¿vas a levantarte o no? Y con levantarte me refiero a despertar a tu hijo en mitad de la noche y llevártelo medio dormido al lavabo para que haga pis. Algunos padres lo hacen un par de horas después de que su hijo se vaya a dormir, o cuando se preparan para meterse en la cama. Otros despiertan a su hijo cada vez que ellos mismos necesitan ir al lavabo.

Quienes defienden esta opción afirman que así consiguen que la mente del niño asimile la necesidad de levantarse por la noche para hacer pis, que reduce la probabilidad de accidentes y que ayuda a los niños cuyas vejigas son todavía inmaduras a aguantar durante doce horas.

Ahora bien, los detractores argumentan que levantar al niño demasiado a menudo solo sirve para interrumpir su descanso, pero no para enseñar al niño a reconocer sus propias señales corporales ni a ir al lavabo de noche por sí solo.

Si finalmente decides probar esta táctica, te aconsejamos que no intentes levantar a tu hijo cuando esté muy dormido o somnoliento. Toma las precauciones siguientes:

- Enciende las luces.
- Despiértalo y explícale adónde vais y por qué.
- No lo despiertes siempre a la misma hora para que no se acostumbre a ir al lavabo solo a determinadas horas, en lugar de cuando lo necesite.

> «Si levantas a un niño sin despertarlo reforzarás la costumbre de vaciar la vejiga mientras esté dormido, y eso es exactamente lo último que quieres. Generalmente no recomendamos que se levante al niño por la noche, porque vaciar la vejiga por la noche no tiene nada que ver con el incremento de la producción de vasopresina. No obstante, si decides hacerlo, despierta al niño y enciende las luces.»
>
> June Rogers, experta en continencia.

CÓMO ACTUAR DURANTE LA SIESTA

Cuando veas que el niño se despierta de la siesta regularmente con los pañales secos, prueba a quitárselos. Algunos niños no necesitan hacer pis durante una siesta corta, así que es probable que eso ocurra bastante rápido. Entonces, aprovechar para reforzar su confianza para que lo haga también de noche: «¡Mira, lo estás haciendo muy bien con tus braguitas/calzoncillos de mayores en las siestas! Con lo listo que eres, seguro que pronto lo harás igual de bien de noche».

Recuerda también incluir una visita al lavabo en la rutina preparatoria para la siesta, de modo que sea igual de normal que arroparlo o contarle una historia; así seguirás reforzando el hábito en tu hijo.

«Probamos a levantar a Cara para llevarla al lavabo. No creo que sirviera de mucho, porque muchas veces seguía despertándose mojada por la mañana. Al final, simplemente dejamos de hacerlo. Lo que sí pareció funcionar fue que tomara la leche para merendar en lugar de antes de acostarse. Además, pusimos un reloj con radio y alarma en su dormitorio, y le pedimos que se levantara y fuera al lavabo cada vez que se encendiera; parecía que despertarse de repente le iba mejor que si lo hacía de forma natural y se quedaba remoloneando antes de salir de la cama.»

Emma, madre de Cara, ocho años.

SOSEGADO

Los padres que siguen un método Sosegado consideran que la rutina de aprendizaje nocturno no debería formar parte de la rutina general. De hecho, muchos creen que realmente no puedes hacer que el niño se acostumbre a levantarse por la noche, porque intervienen capacidades fisiológicas que el niño adquirirá por sí solo en el momento oportuno; por tanto, intentar que el niño se acostumbre antes es inútil y posiblemente perjudicial.

En consecuencia, estos métodos solo te animan a seguir unos buenos hábitos: asegúrate de que tu hijo bebe regularmente durante el día, de que deja de beber una hora antes de irse a la cama y de que puede llegar al lavabo de noche sin dificultades.

¿CUÁNDO DEBERÍA EMPEZAR?

Debido a su manera de pensar, los padres partidarios de estos métodos no se preocupan demasiado por las noches. Generalmente usan bragapañales (puedes seguir llamándolos «calzoncillos nocturnos» para evitar que los asocien con los pañales diurnos). Siguen controlando cuántas mañanas los niños se levantan con el pañal seco, pero básicamente esperan a que el proceso biológico se ponga en marcha y el niño empiece a controlar los esfínteres de noche por sí mismo.

Solo en este momento, cambian los bragapañales por ropa interior normal, es decir, solo cuando se ha producido una transición física real. Argumentan que ningún niño elige despertarse húmedo e incómodo. Como ocurre con la mayoría de cuestiones que tienen que ver con el desarrollo la definición de «normalidad» es bastante laxa, igual que la horquilla de edades.

> «Aconsejamos a los padres que los niños no usen bragapañales o calzoncillos de aprendizaje después de los cinco años, pues así solo reforzarían la idea en el inconsciente del niño de que está permitido usar bragapañales en lugar de ir al lavabo.»
>
> June Rogers, especialista en continencia.

CÓMO CONSEGUIR BUENOS RESULTADOS

Estos métodos te aconsejan que mantengas la calma y vigiles su progreso. Si se trata de un niño mayor que aún no está listo para dejar de usar pañales, es importante que no lo presiones todavía más, porque muy probablemente ya entiende que los bragapañales son para niños más pequeños y que los de su edad duermen con ropa interior normal. Por tanto, es vital que reafirmes su confianza y que te muestres orgulloso de él mientras esperáis a que su cuerpo reaccione.

Igual que en el enfoque Puntual, puedes empezar usando ropa interior de aprendizaje y, cuando creas que es el momento oportuno, pasar a la ropa interior divertida. Ahora bien, en estos métodos se usan menos las tablas de pegatinas y recompensas porque pretendes evitar que el niño piense que este proceso es algo que debe controlar y por lo que será premiado.

Cuando pienses que el niño está listo para dejar de llevar bragapañales, empieza a usar protectores para la cama o intercálalas entre dos sábanas, de manera que puedas quitar la sábana superior si ocurre algún accidente, dejando la primera sábana seca y lista.

Si sospechas que usar un bragapañal que elimine totalmente la sensación de humedad es perjudicial porque no se siente incómodo y no se da cuenta de que se ha hecho encima o no le parece necesario ir al lavabo, haz un experimento: déjalo con el culito desnudo sobre un protector para la cama durante una noche y prueba a ver qué pasa. Quizá descubras que su cuerpo está listo y que solo necesitaba un empujón para poner en marcha el proceso.

Si moja la cama, no montes un escándalo. Simplemente, vuelve a usar los bragapañales como siempre y prueba de nuevo pasadas unas semanas.

¿CÓMO ACTUAR DURANTE LA SIESTA?

Durante la siesta, hay que actuar con la misma tranquilidad que durante las horas de descanso nocturno. Usa bragapañales o ropa interior de aprendizaje, y más adelante protectores para la cama. Por otra parte, es posible que tu hijo sea lo bastante mayor como para no necesitar dormir siesta. En ese caso, ni siquiera tendrás que plantearte nada al respecto.

No obstante, si siguen con la costumbre de dormir siesta, podrías usar ese momento para hacer un experimento, y dejar al niño sin bragapañal durante una siesta corta. Así aumentarás su confianza y empezará a progresar de noche.

> «Después de empezar el aprendizaje diurno, esperaría unos tres o cuatro meses antes de intentarlo de noche, y si entonces siguiera

sin estar listo, esperaría otro mes más y volvería a probar. No hay nada peor que deshacer y cambiar la ropa de una cama, junto a un niño disgustado y llorando, a las cuatro de la mañana.»

Sharon, madre de Callum, seis años, de Vincent, cinco, y de Lauren, cuatro.

GUÍA PARA NIÑAS

- A muchas niñas les encanta jugar con muñecas y con toda la parafernalia que traen con ellas. ¿Por qué no animas a tu hija a montar una pequeña cuna para su muñeca favorita al lado de su cama, y a poner un orinal de juguete junto a ella? Así podría practicar levantando a la muñeca para que haga pis. Además, puedes usar la muñeca para plantear un juego de roles: dile a tu hija que la muñeca se ha hecho pis porque no ha sabido aguantarse, y reacciona con normalidad, zanjando el tema con un abrazo y la recomendación de que vuelva a intentarlo.

- Procura que las visitas al lavabo sean cómodas. Las niñas suelen llevar pijamas finos y menos cómodos que los niños, así que pueden tener frío o sentirse demasiado expuestas al salir de la cama: soluciónalo dejándole una bata calentita cerca para que se la pueda poner antes de sentarse en el lavabo.

CONSEJOS BÁSICOS SOBRE NIÑOS

- Mucha gente cree que los niños tardan más en mantenerse secos de noche que las niñas. No te preocupes si ves que tu hijo todavía no está listo. Los niños también son más competitivos y es posible que se fijen en que sus amigos de la escuela han dejado de llevar bragapañales. En ese caso, procura tranquilizarlos diciéndoles que no pasa nada, porque cada cuerpo es diferente y se desarrolla a su propio ritmo.

- Los niños que hacen pis de pie pueden tener problemas para mantener el equilibrio sobre un taburete si están medio dormidos (y caerse en el váter supone obviamente un riesgo de ahogamiento). Asegúrate de que tienen un reposabrazos, un toallero o algo bien sujeto a lo que agarrarse mientras hacen pis; incluso puedes dejar que hagan pis en un orinal, en el baño o en su habitación durante un tiempo hasta que crezcan un poco.

«Para que un niño esté seco de noche debe conseguir un equilibrio entre la capacidad de aguantarse el pis y el volumen de orina producido. Si alguno de los extremos se desequilibra, el niño mojará la cama. Ambos deben estar en orden. Hasta que eso ocurra, puedes promover una rutina adecuada: ofrécele muchas bebidas de día, asegúrate de que va al lavabo antes de meterse en la cama y comprueba que no sufra estreñimiento, pues esa es una de las principales causas de que un niño moje la cama.»

June Rogers, experta en continencia.

6

Resolución de problemas en el baño y situaciones especiales

«Cuando tenía cuatro años, mis papás me hicieron actuar en una fiesta. ¡Oh Dios mío, estaba cantando una canción de Madonna y me hice pis!»

Britney Spears, cantante.

No importa que sigas concienzudamente el método elegido, que mantengas la calma, que te concentres en enviar vibraciones positivas o que realices la rutina de aprendizaje de manera totalmente irreprochable: en algún momento, tendrás problemas.

Aunque tu hijo haya conseguido controlar sus esfínteres durante varios meses, el asunto todavía puede complicarse. En ocasiones es un bache temporal, otras veces, simplemente es un tropezón después de mucho trabajo duro para conseguir que todo vaya bien.

No obstante, ocurra lo que ocurra, les pasa a muchos padres. No estás solo. Aunque nadie más hable de ello, ten la seguridad de que si preguntas en el parvulario o la guardería, muchos padres tendrán problemas iguales o peores que los tuyos.

De hecho, muchos de estos problemas son comunes a todos los métodos que describimos en este libro, por tanto, en este capítulo, trataremos la resolución de determinados problemas, sin centrarnos en un método determinado.

En primer lugar, hablemos de la más común, aunque quizá menos seria, de las quejas paternas: ¡No funciona!

Hay unas cuantas razones muy comunes que impiden a un niño llegar a controlar los esfínteres:

- Tu hijo no está listo: su desarrollo físico aún no es suficiente.
- Todavía no está mentalmente preparado: sus miedos son demasiado grandes o el deseo de hacerlo es demasiado débil.
- No tienen suficiente capacidad comunicativa para comprender qué les pides y para explicarte qué necesitan.
- Siente que sus padres lo presionan y juzgan.
- No has dedicado tiempo suficiente para aplicar correctamente el método.
- Le das mensajes contradictorios sobre lo que esperas de ellos.
- El método que has elegido no es el más adecuado para ti, para tu hijo, o para tu estilo de vida, y debes replanteártelo.
- Tu hijo tiene un problema físico.

Como puedes ver, las primeras razones de la lista tienen que ver con el desarrollo y probablemente se resolverán por sí solas, si vuelves a intentarlo tras unos meses.

La solución de la mayoría de las otras razones depende de ti. ¿Estás seguro de haber elegido el método más adecuado? ¿Tienes tiempo para ponerlo en práctica? ¿Estás siendo justo con tu hijo, apoyándolo y no juzgándolo?

No te preocupes si te das cuenta de que has tomado un camino equivocado; lo único que debes hacer es volver al principio, revisar las opciones y comprobar si hay alguna otra manera que pueda convenirte más.

El último punto de la lista es el único con el que podrías necesitar al principio ayuda de tu pediatra.

A continuación, repasaremos los problemas físicos más comunes.

PROBLEMAS FÍSICOS

ESTREÑIMIENTO

El estreñimiento se debe a la producción de deposiciones secas, difíciles de expulsar. Suelen ser poco frecuentes, pero la textura es lo que importa: algunos niños van al lavabo con poca frecuencia, pero no están estreñidos porque la deposición tiene una textura normal.

Algunos niños se estriñen porque su dieta es demasiado limitada: no comen suficiente fruta, verdura o cereales enteros. El estreñimiento puede retrasar el aprendizaje para dejar los pañales porque hacer caca resulta doloroso y lento, y los niños pueden temer el momento de ir al lavabo, decidir «aguantarse», y causarse alguna fisura anal (más abajo se repasan todos estos problemas en detalle).

Por tanto, para solucionar el problema debes empezar revisando la dieta de tu hijo. ¡Echa mano de tu astucia! Mezcla pasta integral con la normal (ni siquiera lo notará). Presenta la fruta de forma diferente: haz brochetas pinchando trozos en una brocheta despuntada, y acompáñala con alguna salsa de frutas para untar. Prepara un bizcocho de zanahorias o de plátano –una delicia con fruta escondida–. Hazles sándwiches con pan integral o, si no lo acepta, usa una rebanada de pan blanco y otra integral, y sírvelo con el lado de pan blanco hacia arriba. Añade arándanos o ciruelas picadas a los cereales y juega con tu hijo a pescar la fruta con una cuchara.

Y asegúrate de que tu hijo ingiere líquido suficiente: ofrécele bebidas, lleva siempre algo de beber cuando salgas y no le restrinjas los líquidos en ningún momento durante el día.

Si crees que el problema es serio y ves que persiste en el tiempo, quizá tu hijo necesite tomar un laxante suave o algún producto que ablande sus deposiciones, pero nunca debes darle nada sin consultar primero al pediatra para que te prescriba el medicamento más apropiado.

FISURAS ANALES

Una fisura anal es una pequeña rotura dentro del ano, a menudo causada por tener que expulsar una deposición demasiado dura. Es posible que veas un poco de sangre en el papel higiénico o en la propia deposición. La mayoría de fisuras se curan en una semana o dos, pero el problema principal es que a algunos niños les da miedo hacer caca porque les hace daño, entonces empiezan a retenerlas o a aguantarse, lo que empeora todavía más el problema iniciando un círculo vicioso.

Para conseguir que tu hijo mejore lo más rápido posible, asegúrate de que bebe suficientes líquidos y come frutas y fibra. Tu pediatra puede recetarte una crema especial para curar la fisura y para facilitar el paso de las deposiciones, o bien puedes usar un poco de vaselina.

> «Ashley sufrió una fisura que le hizo la vida imposible durante semanas. Se negaba a hacer caca hasta que ya no podía aguantar más, e incluso entonces se ponía a gritar y se peleaba con nosotros. Además, aguantarse le producía terribles dolores de cabeza y de estómago. Solo iba al lavabo cada varios días y, conforme pasaba el tiempo, iba a peor y se ponía muy gruñona, lo que no es de extrañar. Finalmente nuestro doctor nos recetó un laxante líquido que mejoró la situación y, al final, acabó solucionándola. Aunque, tardó bastante antes de volver a ir al lavabo con normalidad.»
>
> Tom, padre de Rebecca, nueve años, de Ashley, seis, y de Vincent, tres.

DIARREA

La diarrea, o deposiciones más blandas de lo normal o líquidas, se presenta acompañada a menudo por vómitos. Como la combinación de ambos problemas puede provocar una deshidratación, es vital dar al niño agua y sales rehidratantes (en las farmacias, venden algunas específicas para niños).

La diarrea puede estar causada por bacterias, virus o una reacción a nuevos alimentos o a los antibióticos, o incluso, si persistiera, podría deberse a una alergía alimentaria. Si se prolonga durante un día o dos, llama a tu pediatra. No te pondrá ningún problema para ver a tu hijo y comprobar si tiene algún otro problema físico.

Aunque parezca extraño, a pesar de que esas deposiciones no son difíciles de expulsar, la diarrea puede a veces causar fisuras anales e irritar las delicadas membranas del ano. Mantén el culito del niño tan limpio como puedas con toallitas húmedas, y báñalo a menudo.

INFECCIONES DEL TRACTO URINARIO

Las Infecciones del Tracto Urinario (ITU) pueden afectar tanto a las niñas como a los niños, pero son mucho más comunes entre las niñas porque el pequeño conducto que llega hasta la vejiga es mucho más corto y la abertura está más cerca del ano, de manera que las bacterias pueden transferirse fácilmente.

Algunos de los síntomas son dolor al orinar, hacer pis a menudo sin llegar a vaciar por completo la vejiga, un constante goteo de pis en la ropa interior, pis turbio o con un olor fuerte; y a veces una necesidad incontenible e urgente de ir al lavabo inmediatamente.

Si crees que tu hijo puede tener una infección de orina, visita a tu pediatra. Probablemente pedirá unos análisis de orina y le prescribirá antibióticos. Algunos piensan que las infecciones pueden causar la falta de control de pis durante el día, pero no está probado. Existen las mismas probabilidades de que la propia infección sea una consecuencia de la falta de control de esfínteres; además, algunos estudios han demostrado que después de que se cure la infección, los problemas de control siguen produciéndose.

Puedes reducir la probabilidad de que el niño contraiga una infección de orina:

- Asegurándote de que las niñas se limpian bien, de delante hacia atrás, después de hacer caca.
- Ayudando a tu hijo a mantener limpio el prepucio si no está circuncidado.
- Cambiando los pañales, la ropa interior de aprendizaje o el bragapañal húmedo tan pronto como sea posible.
- Evitando baños de burbujas y jabones fuertes irritantes.

> «Kitty tuvo una época en la que se quejaba de dolor al hacer pis. Pensamos que podía ser una infección de orina, así que el doctor le hizo unos análisis, pero dieron negativo. Entonces, dejé de usar el jabón de baño de frutas de siempre y le compré uno muy suave, especial para bebés y el problema desapareció.»
>
> Mary-anne, madre de Kitty, tres años, y de Finn, 11 meses.

FIMOSIS

Algunos niños pueden desarrollar una infección bajo el prepucio que se llama balanitis. A menudo, para curarla y prevenirla solo hay que seguir unas cuidadosas normas de higiene (como enseñar a tu hijo a apartarse todo lo que pueda el prepucio y lavarse bien por debajo). Algunos casos más serios pueden requerir un breve tratamiento con antibióticos. Los síntomas son: rojez al final del pene y dolor al hacer pis. Consulta a tu pediatra si observas estos síntomas.

ANORMALIDADES FÍSICAS

Son muy poco frecuentes, pero vale la pena conocerlas por si acaso. Los defectos intestinales y del tracto urinario serio se detectan normalmente al nacer, en las primeras semanas de vida o, al menos, durante el primer año.

La enfermedad de Hirschsprung es un defecto congénito muy raro que puede ponerse de manifiesto con un estreñimiento severo. Consiste en un defecto del nervio que controla el intestino e impide que el intestino se contraiga con normalidad y expulse las heces hacia abajo, lo que provoca un bloqueo del tracto intestinal.

La hipospadias es una enfermedad que consiste en que los niños tienen la uretra desplazada. En lugar de en la punta del pene, la uretra se abre en la parte inferior y, por tanto, es difícil o imposible producir un chorro de pis «normal». En casos muy severos, puede ser necesario practicar una cirugía cuando el niño cumpla los tres años.

Otros trastornos menos evidentes solo pueden ser diagnosticados cuando se detecta algún problema más adelante.

PROBLEMAS DE CONTROL

FALTA DE CONTROL DE LA ORINA DURANTE EL DÍA

Los niños tienen accidentes. Incluso los niños más fiables pueden tener un mal día o mojarse cuando se disgustan o están muy distraídos. No obstante, esto no se puede llamar falta de control del pis durante el día, sino que se reserva esa denominación para los niños de más de cinco años que han acabado un aprendizaje para controlar los esfínteres aparentemente con éxito, pero que siguen sufriendo accidentes regularmente (desde mojar la ropa interior hasta vaciar completamente la vejiga mojándose las piernas e incluso mojando el suelo).

Si los accidentes en el parvulario o en la escuela son frecuentes, y tu hijo vuelve a casa vestido con ropa de recambio y una bolsa delatora con la ropa húmeda, ambos corréis el peligro de acabar sufriendo bastante estrés, y especialmente tu hijo.

Existen varias teorías que intentan dar una explicación a estos problemas. Hay quienes afirman que esa falta de control se debe a que el niño tiene una vejiga más pequeña de lo normal. Otros defienden que se debe a que el cerebro envía señales para hacer pis con más frecuencia. Según otra teoría, se debería a que el esfínter y los músculos del suelo pélvico no permitirían vaciar completamente la vejiga cuando el niño haga pis. También se afirma que detrás de ese comportamiento hay un problema psicológico o alteraciones y problemas en casa, mientras que algunas personas creen que puede estar causado por una infección de orina o ser un síntoma de esa afección (ya que la humedad y las bacterias se quedan cerca de la abertura de la uretra).

En correspondencia al amplio abanico de causas propuestas, encontramos muchos tratamientos, que van desde terapia a medicamentos para el control urinario. Sin embargo, la mayoría de los niños superan este problema al crecer, ya que solo un 1 % de los niños saludables de más de cinco años siguen teniendo problemas de enuresis diurna, e incluso en estos casos, el problema suele limitarse a mojar la ropa interior, más que a vaciar por completo la vejiga.

Por tanto, lo mejor que puedes hacer es darle tiempo y controlar el número de días que se moja a la semana: probablemente comprobarás que a lo largo del tiempo, cada vez son menos numerosas. Mientras tanto, puedes ayudar a tu hijo:

- Animando a tu hijo a ir al lavabo en cuanto sienta la necesidad de ir y pidiéndole que permanezca sentado en el inodoro un par de minutos hasta que esté seguro de que ha salido todo el pis.

- Recordándole que vaya todas las veces necesarias, es decir, unas siete al día; no obstante, procura no presionarlo diciéndole que vaya cada pocos minutos porque así solo conseguirías que su vejiga nunca llegue a acostumbrarse a desplegarse al máximo de su capacidad y vaciarse totalmente.

- Si ya va a la escuela, asegúrate de que se siente cómodo con los lavabos de la escuela y pide al maestro o al supervisor de la clase que le eche un vistazo a tu hijo cuando vaya al baño.

- Piensa en un «código secreto» que pueda usar para acordarse de ir al lavabo, como «hora del patio, hora del baño», «se acaba la clase, voy a hacer pis».

> «Ellie todavía tiene accidentes en el colegio (normalmente no se hace pis del todo, solo se moja las braguitas y se mancha la falda), así que hemos pedido al maestro que le recuerde que tiene que ir al baño, pero no siempre puede cuando tiene que ocuparse de tantos niños. No obstante, ahora parece que le ocurre con menos frecuencia: nuestro pediatra dice que es común, y que no debemos preocuparnos hasta que pase un año más o menos, así que estamos intentando no darle demasiado importancia: aunque a mí sí me preocupa que los otros niños se den cuenta y se metan con ella por eso.»
>
> Karen, madre de Ellie, seis años,
> y de Pippa, cuatro.

ENURESIS NOCTURNA (MOJAR LA CAMA)

Algunos niños que no controlan el pis de día, también tienen dificultades para no mojar la cama. Otros llevan años sin tener problemas de día, pero siguen teniendo dificultades por la noche.

Que un niño mayor moje la cama es una de las situaciones más estresantes y que más afectan a los padres, al margen de cómo sean, del metodo de aprendizaje que elijan, de sus circunstancias y de su personalidad. Por desgracia, también es un tema que no muchos padres discuten abiertamente, lo que solo acaba provocando que tanto niños como padres se sientan más al límite, preocupados e impotentes.

Así que, ¿cómo sabemos si tu hijo realmente sufre enuresis?

En primer lugar, debemos aclarar que no se califica como enuresis que un niño moje la cama cuando está empezando a dejar de usar pañales por la noche. Solo podemos hablar de enuresis nocturna a partir de los cinco años. Por tanto, si estás siguiendo las fases que se describen en el Capítulo 5 y acabas de empezar con la rutina para que tu hijo aprenda a estar seco de noche, no debes preocuparte si no es completamente fiable.

Igual que con el aprendizaje diurno, aprender una nueva habilidad requiere un tiempo de ajuste para aprender de los errores: tu hijo puede tardar en desarrollar totalmente sus capacidades y, por tanto, en conseguir un control total de sus esfínteres.

La mayoría de los expertos solo usan el término enuresis si tu hijo moja la cama dos o más veces a la semana.

Los profesionales de la salud normalmente no aconsejan a los padres que busquen ayuda o consejo profesional hasta que el niño cumple cinco años. Al menos hasta ese momento, mojar la cama de noche se considera una oscilación normal del desarrollo: los cuerpos de algunos niños adquieren pronto la madurez necesaria para conseguir un control nocturno, mientras que otros, simplemente, necesitan un poco más de tiempo.

No obstante, si tu hijo tiene cinco años o más y sigue mojando la cama habitualmente de noche, puedes ir al pediatra o a algún especialista. Ellos comprobarán si tu hijo padece alguna infección del tracto urinario; investigarán factores que pueden provocar la incontinencia, como si fabrica demasiada orina durante la noche, si tiene una vejiga de poca capacidad o si padece estreñimiento; y buscarán cualquier otra causa posible.

Según el diagnóstico, te ofrecerán diversos tratamientos. Podrían recetarle alguna medicación a tu hijo que suprima la producción de orina durante la noche. También te aconsejarán sobre métodos simples, como una tabla de recompensas y los sistemas de alarma para controlar la enuresis nocturna, que consisten en una fina esterilla que se pone en la cama debajo del niño (como un protector para la cama), y que está conectada a una alarma que avisa a tu hijo si empieza a soltar alguna gota de pis. Así, tu hijo aprenderá a despertarse antes de hacerse pis y podrá llegar a tiempo al lavabo.

Por desgracia, la enuresis nocturna despierta sentimientos encontrados. A menudo, tiene un origén genético (los niños con padres que mojaban la cama tienen más posibilidades de tener problemas) y muchos padres conservan malos recuerdos de cuando ellos pasaron por lo mismo y sienten un gran rechazo a determinados tratamientos, ya que los asocian a sentimientos de vergüenza y humillación.

Por tanto, es crucial que encuentres un modo de ayudar a tu hijo con el que tú también te sientas cómodo y que puedas enfocar de manera positiva. Ten en cuenta que tu hijo será muy sensible a tus propias reacciones y sentimientos sobre su problema, y que buscará en ti seguridad y apoyo.

Es posible que te sirva de ayuda reflexionar qué aspectos de la enuresis nocturna de tu hijo te molestan realmente.

¿Es el lado práctico [sábanas mojadas, pijamas mojados, muchas lavadoras, aguantar molestias de noche y retrasos por la mañana]? ¿Te preocupa la opinión de la gente [la desaprobación de tus familiares, la de otros padres, los problemas que tu hijo tiene si quiere pasar una noche fuera de casa]? ¿O el problema reside en los sentimientos sobre ti mismo [que nacieron cuando, de niño, mojar la cama era un problema para ti] y en tu deseo de ver al niño como una persona «con éxito» y «madura»?

Una vez que hayas revisado con honestidad tus propios sentimientos, puedes empezar a trazar algunas estrategias para que tu hijo, y tú mismo, podáis superar esta fase:

- Si el problema está en tener que lavar mucha ropa sucia, usa ropa interior de aprendizaje y protectores para la cama desechables. Cambiar un bragapañal es mucho menos traumático que cambiar toda la ropa de la cama a las tres de la mañana.

- Si te preocupa la opinión de la gente, recuerda que es muy probable que sus propios hijos tengan otros problemas que sus padres quizá no quieran compartir con los demás: ningún niño es perfecto. En cuanto a pasar la noche fuera, procura que siempre vaya a casa de personas comprensivas que ayuden a tu hijo a ponerse discretamente un bragapañal, y a cambiárselo por la mañana.

- Si, al final, te das cuenta de que tienes un conflicto con tus propios sentimientos, recuerda cómo te sentías cuando te ocurría de niño. Probablemente entonces te sentías impotente. Pero ahora, tienes el poder de ayudar a tu hijo a no sentirse como te sentías tú. Ahora puedes hacer que para él sea diferente. Tú entiendes cómo se siente y por ello estás en la posición perfecta para considerar la situación con la menor angustia posible. ¡Eso es tener visión positiva!

Finalmente, recuerda que casi cualquier niño, que no tenga ningún problema neurológico serio o serias dificultades de aprendizaje, deja de mojar la cama tarde o temprano: la gran mayoría lo hacen alrededor de los 10 años. Solo es cuestión de esperar: pero puedes facilitar un poco las cosas, si ves las cosas con perspectiva y le quitas presión.

> «Mi marido mojó la cama hasta que cumplió 10 años más o menos, así que nos habíamos concienciado de que podría ser un problema para nuestros propios hijos. Y así es, ninguno de los gemelos se mantiene seco de noche. Pero no nos angustiamos. Llevan ropa interior de aprendizaje. Estoy segura de que, en un año más o menos, crecerán y lo superarán. Mi marido recuerda que lo obligaban a usar una de esas alarmas nocturnas y se niega a que los hagamos pasar por ello, y yo estoy de acuerdo. ¿Qué es peor, llevar un calzoncillo de

aprendizaje o hacer que un niño de ocho años se sienta avergonzado y frustrado por algo que no puede evitar?»

Jenny, madre de Luke y Perry, siete años.

INCONTINENCIA FECAL / ENCOPRESIS

Si crees que mojar la cama es un problema del que no se puede hablar, espera a ver lo que pasa con la incontinencia fecal.

Puede abarcar desde manchas marrones en la ropa interior hasta pérdidas continuas. Suele estar causada por un estreñimiento crónico (prolongado). La deposición se vuelve dura, se queda en el intestino, y la caca más fluida pasa y sale sin que el niño se dé cuenta.

Si el problema se prolonga, puede incluso causar que el niño pierda un poco de sensibilidad nerviosa en la zona, lo que le impide notar cuándo necesita hacer caca, y el problema se agrava todavía más.

Es importante recordar que la incontinencia fecal (que no tiene nada que ver con limpiarse mal el culito) no es un problema en sí misma, sino un síntoma de otro problema, normalmente estreñimiento. Sigue los consejos para mejorar los problemas de estreñimiento y si persiste, consulta a tu pediatra.

LUCHAS DE PODER Y MIEDOS

REGRESIÓN

Justo cuando pensabas que lo tenías dominado... tu hijo da un gigantesco paso atrás. Resulta tremendamente descorazonador, y puede presentarse de las siguientes formas:

- Un niño que usa sin problemas el orinal o el váter, de repente empieza a tener muchos accidentes.

- Un niño que lleva meses estando seco de noche, moja la cama tres veces seguidas.
- Un niño al que llevas un par de años enseñando a controlar los esfínteres, no consigue hacerlo en el parvulario o en la escuela.
- Un niño que sabe usar el orinal o el váter parece haberse hecho pis o caca encima o en el suelo a propósito.

Debes recordar que, adopte la forma que adopte, es *temporal*. Es un problema pasajero. No significa que el niño haya fallado o que lo hayas hecho tú, ni que tengas que volver a empezar desde el principio. Solo significa que tienes que hacer una pequeña investigación para averiguar qué puede haberlo motivado, tener un poco de paciencia y poner en marcha un discreto plan recordatorio para volver a encarrilar las cosas.

Entre las causas de una regresión podríamos citar:

- Un cambio en la rutina o en la ubicación: empezar el parvulario, por ejemplo.
- Un gran trastorno familiar: un divorcio, un duelo, una mudanza o el estrés de los padres en el trabajo.
- Un cambio pequeño en las circunstancias: unas vacaciones, invitados en casa.
- Un nacimiento: esta causa es clásica. Un nuevo bebé implica menos atención para el niño mayor, lo que provoca que el niño busque mayor atención, y eso nos conduce a la manipulación de los hábitos de higiene y a que intente comportarse como un bebé.
- Una pérdida repentina de confianza provocada por un encadenamiento de accidentes, o un accidente en público, en la escuela, por ejemplo.

Lo único que necesitas hacer es volver al método de aprendizaje que elegiste. Procura recordar las estrategias que te funcionaron.

Retrocede al paso previo al que ellos han regresado, es decir, si están bien de día pero de repente empiezan a mojar la cama de noche, mantén la rutina diaria según lo habitual, pero vuelve a ponerle el protector en la cama y a recordarle que haga pis antes de irse a la cama. Si de repente se niegan a hacer caca en el váter, déjales usar un orinal, pero siempre en el baño, y poco a poco procura que vuelva a usar el váter con un asiento reductor, mientras tú lo aguantas y usando muchas distracciones.

En realidad, es como ir en bici: un niño realmente nunca se olvida de cómo ir al váter una vez que ya ha aprendido a controlar los esfínteres. Pueden tener lagunas, pero, con un poco de tranquilidad y calma, pronto volverán al buen camino.

> «Tuvimos un problema de regresión con Rebecca cuando Ashley nació. Tenía tres años y se había mantenido seca de día durante seis meses. Sin embargo, cuando su hermana pequeña llegó, empezó a hacerse pis encima otra vez y le preguntaba a su mamá si podía volver a usar pañales, incluso volvió a hablar como un bebé, pero Tania consiguió involucrarla cada vez más en el cuidado del bebé y le otorgó el papel de "hermana mayor" y de "la niña mayor favorita de mamá"; al final, todo volvió a la normalidad.»
>
> Tom, padre de Rebecca, nueve años, de Ashley, seis, y de Vincent, tres.

NEGARSE A HACER CACA / AGUANTARSE

Muchos niños tienen problemas pasajeros para hacer caca. Esos problemas pueden variar entre querer hacer caca solo con un pañal y no en un váter, a no hacer caca en absoluto y llegar a hacerse verdaderamente daño por querer aguantarse a cualquier coste.

Algunos terapeutas conductistas creen que negarse a hacer caca tiene a veces que ver con que el niño no quiere perder una parte de

sí mismo: les angustia dejar que algo caiga de su cuerpo al vacío y eliminarlo tirando de la cadena, como si careciera de valor.

No obstante, lo más común es que, simplemente, el niño esté estreñido o tenga una fisura anal que le haga daño al hacer caca y, por tanto, tema ese momento, lo que resulta bastante lógico si se piensa bien.

Algunos niños llegan a cruzar y retorcer las piernas, se niegan físicamente a hacer caca aunque lo necesiten, y pierden los nervios cuando sale de todos modos. Se trata de un problema más común de lo que podrías pensar.

Las cosas que puedes hacer para calmar sus miedos y que hacer caca sea menos doloroso son:

- Deja que tu hijo haga caca en un pañal abierto sobre un orinal, si se niega a hacer caca sin él. Entonces, gradualmente ve retirando completamente el pañal.
- Si el niño padece una fisura anal, aplícale un poco de vaselina antes de que vaya al lavabo, así el paso de las deposiciones será menos doloroso.
- Lleva a tu hijo al inodoro unos 10-30 minutos después de la comida, es muy probable que necesite hacer caca.
- No le obligues a hacer caca, a empujar o a presionar, ya que así solo conseguirás empeorar las cosas e incluso causarle fisuras. Igualmente, no les obligues a aguantarse (si estás en público, por ejemplo), porque eso podría causar estreñimiento y otros problemas intestinales.
- Procura que el lugar donde vayan a hacer caca sea lo más relajante posible: léele historias, ponle música suave.
- Si quieren hacer, pero no pueden, deja que se apoyen contra ti, mientras tú les haces friegas en la parte inferior de la espalda y les hablas o cantas.

«Probamos a ponerle el pañal en el fondo del orinal, de manera que prácticamente hacían caca en él, y también nos sentábamos a su lado y le hablábamos. Aunque no funcione inmediatamente, puedes felicitarlo solo por quedarse allí sentado. Ya verás que al final algo acabará saliendo. Y entonces puedes recompensarlo con una golosina o una pegatina, aunque haya hecho muy poca cosa.»

Emma, madre de Aisha, siete años,
de Anisa, cuatro, y de Omar, dos.

LO QUE NO SE PUEDE HACER EN EL LAVABO

JUGAR CON LA CACA

Aquí no hablamos solo de meterse una mano furtiva en la parte trasera del pañal, sino de hacer algo mayor, como sacar la caca del pañal o hacer caca en el suelo y usarla para pintar, como si fuera masilla o transportarla en su cubo o camión favorito.

Muchos padres se sienten sobrepasados por este comportamiento y suele ser suficiente para que cunda el pánico incluso entre los padres menos aprensivos. No obstante, de nuevo, volvemos a repetir que es un comportamiento pasajero, aunque resulte desagradable. Y se considera un comportamiento *normal.*

Intenta ponerte en el lugar del niño: has pasado los primeros meses o años de tu vida con la zona del culito cubierta continuamente con un pañal, bien sujeto. Te das cuenta de que algo ocurre por ahí abajo, pero ahora, por primera vez, puedes ver lo que haces antes de que un adulto, armado con una toallita húmeda, lo retire. Por tanto, parece natural que sientas curiosidad por ver qué has hecho ¡e, incluso, por ver qué puedes hacer con ello!

Recuerda que no se trata de ningún acto sucio de protesta, ni de una travesura, sino que tan solo es una señal de curiosidad. Sin embargo, es muy probable que no te resulte fácil ocultar el asco. Inténtalo, de todos modos, y mantén una conversación tranquila sobre higiene y gérmenes y sobre el lugar adecuado de la caca. Si muestras repugnancia, te arriesgas a que tu hijo piense que la caca es repugnante e, incluso, puedes provocar que el niño empiece a retener las deposiciones y se provoque estreñimiento.

Aparentemente, a las madres las cacas de sus hijos les parecen menos repugnantes que las de otros niños, ¡al menos la Madre Naturaleza nos ha dado alguna pequeña herramienta para manejar esta situación!

> «¡Lucas hizo eso una vez! Fui a su habitación y vi que se había quitado el pañal, había intentado limpiarse con su edredón y había envuelto su caca cuidadosamente en sus pantalones cortos del pijama. No podía enfadarme demasiado porque había intentado hacer lo correcto, pero tuvimos una charla sobre lavabos y le expliqué que tenía que esperar a mamá para quitarse el pañal, ¡y nunca más volvió a hacerlo!»
>
> Jen, madre de Lucas, cuatro años, y de Edmund, dos.

TOCARSE EL PENE

Los niños pequeños no descubren solo las cacas cuando dejan de usar pañal. También es la primera vez que los niños pequeños descubren su pene, ¡y quién podría negar que es una parte del cuerpo fascinante!

Algunas veces, los niños juguetean con su pene mientras están sentados aburridos en el orinal o el váter. Algunas veces los niños se sienten fascinados por el cambio de forma y de textura que experimenta el pene, e intenta provocarlo de nuevo. Otros niños verdaderamente se asustan cuando tienen una erección, porque les resulta extraño y no saben qué ocurre. Las niñas también pueden realizar alguna exploración.

Lo primero que hay que hacer, tanto con las niñas como con los niños, es comprobar que sus genitales están en buen estado de salud y que no se toca porque sienta irritación o dolor.

Puedes decirle que delante de otra gente no está bien tocarse el culito. Distráelo dándole un juguete o un libro. Y, sobre todo, no reacciones exageradamente, ni lo castigues: en esta época, tu hijo no intenta estimularse sexualmente, sino solo conocer su cuerpo. La fascinación por el pene y el culito no suele durar mucho y desaparece por completo, siempre y cuando tú no lo conviertas en un tema preocupante.

HUMOR EN EL LAVABO

A veces la fascinación no tiene que ver con las partes del cuerpo, sino con las palabras relacionadas con el lavabo. Tal vez, de repente, compruebes que tu hijo enriquece su vocabulario con una clase de palabras que preferirías que no usara, o que inventa un montón de chistes relacionados con la caca que no son apropiados para contar delante de parientes estirados o en una cafetería.

De nuevo, montar un escándalo no es la solución, porque solo conseguirás aumentar el problema y prolongarlo. Si dicen algo que te parezca ofensivo, explícale simplemente que «decir esas cosas no es de buena educación y no hablamos así en nuestra familia» y después pasa a otra cosa sin más. Probablemente lo repitan en alguna otra ocasión, especialmente cuando vayan a la escuela, pero al menos empezarás a enseñarles lo que es socialmente apropiado.

> «¿No es curioso que a los niños de seis años les gusten tanto los chistes de "caca-culo-pedo-pis"? En realidad, la mayoría de las veces, a Matt y a mí nos hacen gracia pero intentamos reprimirnos para que Ellie no repita esos chistes en la escuela o algo así. De hecho, ya una vez le dijo a una amiga mía que sus zapatos eran de color caca; por suerte, mi amiga no es muy susceptible.»
>
> Karen, madre de Ellie, seis años, y de Pippa, cuatro.

SITUACIONES ESPECIALES

NECESIDADES ESPECIALES / DISCAPACIDADES

Los padres de niños con discapacidades o necesidades especiales tienen mucha información y asesoramiento disponibles. Así que, a continuación, solo haremos un breve comentario a propósito de un tema de especialista.

Es vital tratar a cada niño como a un individuo al que hay que apoyar para que desarrolle todo su potencial y para que viva con tanta autonomía como sea posible. Pueden tener una discapacidad física o mental, pero no importa: tienen derecho a recibir consejo y asistencia profesional y a recibir una asistencia educativa especial por parte de las autoridades de bienestar social y educativas, que pueden incluir ayuda para enseñar al niño a controlar sus esfínteres. La oferta de ayuda varía según donde vivas.

Muchos niños con dificultades de aprendizaje o necesidades especiales pueden seguir un plan normal de aprendizaje para dejar de usar pañales, y la mayoría consiguen controlar sus esfínteres en un «plazo normal». Los niños que tengan necesidades especiales más serias tienen a su disposición programas específicos que deben seguir con sus padres, ya que, normalmente, requieren un alto grado de implicación por su parte, al menos en los estadios iniciales.

En cualquier caso, puedes tener la completa seguridad de que sean cuales sean las necesidades o las dificultades que tenga tu hijo, si trabajas a su ritmo, lo ayudarás a alcanzar cierto grado de dominio del lavabo. Para más información, puedes consultar la sección final del libro.

GEMELOS Y MULTILLIZOS

Con los gemelos y los multillizos debes llevar a cabo el mismo proceso que con un hijo único, y puedes seguir usando cualquiera de los métodos descritos en este libro.

La diferencia principal no tiene que ver con el método, sino con el tiempo: ¿qué haces si uno de los gemelos está listo para empezar el aprendizaje y el otro se muestra reticente o simplemente no está psicológicamente preparado?

A menudo, los padres de multillizos sienten la presión de empezar el proceso antes de lo que se considera normal para reducir la dura carga de tener que cambiar constantemente los pañales.

Sin embargo, también hay ventajas, ya que, si uno de tus gemelos progresa rápidamente animará y ayudará a su hermano a hacerlo también: los gemelos se comparan el uno con el otro, y siguen sus mutuos ejemplos. Si usas tablas de recompensas o de premios, incentivarás esta competencia: ¡ninguno de los hermanos querrá quedarse atrás!

Un buen consejo para los padres de gemelos que están en diferentes fases del aprendizaje es no excederse en los halagos al gemelo más avanzado. Puedes mostrarte satisfecho, por supuesto, y alabar a tu hijo, pero sin exagerar, porque te arriesgas a que el otro hermano se sienta menos valorado y menos capaz. La competición será una parte inevitable de la relación de tus hijos, así que es mejor que no la incrementes con comentarios como «Mira, tu hermana lo hace, ¿por qué no puedes hacerlo tú también?».

Por último, recuerda que un orinal no será suficiente. Puedes evitar las riñas, los conflictos y otros problemas comprando dos como mínimo; asimismo, recuerda comprarlos iguales para evitar situaciones en las que el orinal disponible más cercano pertenezca al hermano «equivocado».

«Luke estuvo seco de día unos tres meses antes que Perry. Nos esforzamos mucho en no compararlos, y en no forzar a Perry a seguir ese mismo ritmo. Sin embargo, cuando Luke empezó a usar el váter, a Perry le pareció guay y quería subirse también al taburete, así que lo motivó.»

Jenny, madre de Luke y Perry, siete años.

COORDINAR UN APRENDIZAJE ENTRE DOS CASAS

Si tú y tu pareja os habéis separado, y el niño vive entre vuestras dos casas, es esencial que tracéis un plan de acción común para el aprendizaje: de otro modo, podéis enviar mensajes contradictorios al niño que le impidan progresar.

Tenedlo todo por duplicado (orinal, libros, tablas de recompensas) e intentad llegar a un acuerdo como mínimo en los puntos básicos, como si vais a usar bragapañales y cuándo, o si el niño usa el orinal o un inodoro para adultos. Además, sería mejor que eligierais el método juntos. Si no fuera posible, quien tome la decisión podría, al menos, fotocopiar algunos de los detalles del método elegido, o poner a disposición de la ex pareja el material de lectura elegido.

Recordad también poneros de acuerdo sobre los premios. De otro modo, podrías descubrir que la razón por la que tu hijo no tiene problemas para usar el orinal en la otra casa es porque recibe chocolate como premio, en lugar de las pegatinas que le das tú.

CUÁNDO LLAMAR AL MÉDICO

Hay ciertas irregularidades relacionadas con el pis, la caca y el culito que pueden requerir una visita al pediatra. En la mayoría de casos, no será nada serio, pero conviene que consultes a un médico siempre que tengas dudas: ninguno se quejará por echar un vistazo a un niño.

Llama al médico si:

- Ves sangre en el pis o la caca de tu hijo.
- No ha hecho caca en más de cuatro días.
- No hace pis cada dos o tres horas como mínimo.
- Su pis tiene un olor fuerte y desagradable.
- Necesita hacer pis pero no puede conseguir que salga.
- Tiene el estómago hinchado o duro.
- Bebe y hace pis excesivamente: puede ser una señal de diabetes.
- Notas que pierdes el control cuando se equivoca y que no puedes controlar tu ira: la situación puede ser muy estresante, y en algunas ocasiones, los adultos necesitan apoyo y ayuda.

Con suerte, este capítulo te habrá dado algunos apuntes de los problemas más comunes y consejos para enfrentarte a ellos. Por supuesto, a lo largo de las diferentes fases del método de aprendizaje que sigas aparecerán diferentes problemas.

Debes recordar que cada método requiere una comprensión y un apoyo diferente por tu parte para ser efectivo:

PRECOZ

Has elegido un método dirigido a para un bebé o un niño muy pequeño, así que debes recordar en todo momento que requerirá un alto grado de implicación de los padres. Tu hijo sigue dependiendo mucho de ti, así que si crees que no puedes dedicarle el tiempo o el compromiso que requiere, sería mejor esperar y utilizar un método diferente, en lugar de obligarlo a dar pasos para los que todavía no está preparado. Por otro lado, si decides elegir este método, es probable que compruebes que el vínculo entre vosotros se refuerza y permanece para toda la vida.

Cuando tu hijo crezca un poco y tenga que aprender a ir al váter con otros cuidadores o solo, podría necesitar más apoyo y ánimo que un niño que haya aprendido más tarde. No asumas que como ha sido «tan listo» hasta ahora, no necesitará tu ayuda más tarde.

> «Kitty sufrió un virus hace unos meses, y no podía dormir por las noches. Además tenía calor y molestias, y necesitaba más espacio; por eso, Nigel se fue a dormir al cuarto de invitados para dejarnos más espacio en la cama, y yo le puse un bragapañal durante dos noches, hasta que se recuperó. No era justo pedirle que siguiera el aprendizaje nocturno también en esas condiciones. Y tampoco supuso ninguna diferencia a largo plazo: volvimos a la normalidad a la semana siguiente.»
>
> Mary-anne, madre de Kitty, tres años, y de Finn, 11 meses.

INTENSIVO

Si te decantas por un método Intensivo, tu hijo corre un riesgo mayor de sentir la presión del tiempo y la velocidad. Hazle saber que estás orgulloso de sus progresos, aunque no todo salga como esperabas, y que tenéis tiempo suficiente para pulirlos.

Procura no sentir frustración cuando paséis por días malos. Está aprendiendo nuevas habilidades a un ritmo muy rápido, y aunque le coja el truco bastante pronto, seguirá necesitando tiempo para asimilarlas, y con la práctica las perfeccionarán.

> «Josh cogió la varicela cuando tenía unos dos años y medio, y le salieron muchos granos en la zona genital, así que era imposible ponerle pañales. Usamos calzoncillos porque erán más frescos, y antes de darnos cuenta, ¡aprendió por sí solo a usar el orinal!»
>
> Julie, madre de Emma, ocho años, y de Josh, cuatro.

PUNTUAL

Los niños que siguen un método Puntual son magníficos siguiendo una rutina y asombran a otros padres por la capacidad para manejarse por sí solos. Sin embargo, es muy posible que a menudo necesiten una ayuda extra si de repente deben enfrentarse a un suceso inesperado o a un cambio en la rutina y en la ubicación.

Sé paciente con tu hijo. Ayúdalo a sentirse tranquilo ajustando el aprendizaje a su rutina tanto como sea posible. Los libros, los muñecos y los orinales habituales, así como los asientos reductores para el inodoro siempre serán de gran ayuda. Tú hijo hará que te sientas orgulloso, simplemente tienes que darle tiempo para acostumbrarse y acomodarse.

> «Poppy acaba de empezar a ir a una guardería, y tuvimos unos cuantos accidentes en los primeros dos meses más o menos. Curiosamente, estaba bien de día en el jardín de infancia, pero empezó a hacer pis encima cuando estaba en casa. El director de la guardería dijo que podía deberse a que estuviera más cansada y un poco desubicada. Empezamos a traerla directamente a casa para que merendara y descansara, en lugar de salir o hacer otras actividades, y parece que ha funcionado, porque ya no ha vuelto a hacerse pis.»
>
> Alex, padre de Stanley, cinco años, y de Poppy, dos.

SOSEGADO

El niño de un método Sosegado probablemente te asombrará por lo rápidamente que se vuelve independiente una vez que tú, o él, comencéis el aprendizaje, pero, antes de que eso ocurra, puede sentir que lo tratas como a un niño pequeño o incluso puede sufrir burlas de sus compañeros por seguir llevando pañales o bragapañales.

Explícale que has decidido dejar que use el váter cuando él quiera porque sabes que es muy listo y maduro, y por eso no lo obligas como si fuera un niño pequeño. Puedes tranquilizarlo diciéndole que, como es mayor, lo hará mejor. Es fundamental que fomentes su confianza.

Además, asegúrate de que tu hijo no sigue llevando pañales porque él o tú os hayáis acostumbrado. Podría estar listo pero ser demasiado perezoso para hacer el cambio o estar esperando una señal para hacerlo. Sugiérele con delicadeza que podría intentarlo... y déjale que marque en un calendario contigo el día que empezará.

> «No empieces a enseñar a tu hijo a dejar de usar pañales solo porque vaya al parvulario: así solo lo presionarás; además, le resultará difícil sobrellevarlo cuando al mismo tiempo está pasando por otro enorme cambio y trastorno de su rutina. Si vas a hacerlo, hazlo bastante antes de que empiece. Deben haberse acostumbrado completamente a usar un váter antes de tener que hacerlo también fuera de casa.»
>
> Emma, madre de Cara, ocho años.

GUÍA PARA NIÑAS

- Para ayudar a evitar infecciones, cómprales braguitas de algodón. Cuando las laves, usa un detergente suave y acláralas bien.
- No uses polvos de talco con las niñas: puede causarles irritación vaginal.

CONSEJOS BÁSICOS SOBRE NIÑOS

- Si tu hijo quiere empezar a hacer pis de pie pero no consigue apuntar en el orinal o es demasiado pequeño para usar el inodoro, puedes comprarle un urinario de plástico para niños; algunos modelos permiten, incluso, tirar de la cadena. Son perfectos para preparar a los niños para ir al parvulario o para usar lavabos.

- A veces, nadar en piscinas tratadas con cloro o usar fuertes detergentes biológicos puede provocar una irritación del prepucio o del pene. Procura lavar la ropa de tu hijo con un detergente más suave y ayúdalo siempre a ducharse después de salir de la piscina.

«Aconsejaría a los padres que no dejasen a sus hijos llevar pañales más tarde de los tres años y medio. Cuando empiezan la guardería, llevar pañales puede causarles muchos problemas. El niño debe comprender que un bragapañal no es una solución a largo plazo. Muchos de los casos que vemos en la consulta son niños que se han acostumbrado a que su bragapañal sea una especie de váter portátil. ¿Quién querría dejar de jugar, ir a una habitación diferente, desvestirse, ir al lavabo, lavarse las manos y, al volver, descubrir que acabas de perder tu turno en el juego o el final del programa de televisión, cuando pueden simplemente hacerlo allí mismo? Hay que animarlos con delicadeza a que dejen de ver los pañales o los bragapañales como una opción.»

June Rogers, experta en continencia.

7

Qué comprar: equipo, libros e incentivos

«Puedes hacer pis como un cachorro,
pero solo si piensas formar parte
de una manada de lobos.»

Don Mashak, activista político.

Intentar enseñar a un niño a controlar sus esfínteres sin ciertas herramientas es como ir a la guerra sin armas. Algunas cosas básicas se han mencionado a lo largo del libro, pero en este capítulo repasaremos con mayor detalle los productos que tienes a tu alcance y los que podrían resultarte particularmente útiles según el método de aprendizaje elegido.

ORINALES

Parece obvio pero te aseguro que te sorprenderá ver la gran variedad de orinales que hay a la venta. Por supuesto, no necesitas ningún orinal si piensas ir directamente a la fase del váter, e incluso aunque optes por usar orinal, el más básico y barato es perfectamente válido; no obstante, si buscas algo más específico, encontrarás muchas opciones.

Estas son algunas de ellas:

ORINALES TRADICIONALES BÁSICOS

Son los que la mayoría de nosotros recordamos de nuestra infancia. Son diseños todo en uno: de plástico, bajos y sencillos.

Ventajas:

- No son caros, así que puedes comprar varios (para varias habitaciones, para el piso de arriba, para el coche o para la casa de la abuela) sin arruinarte.
- Son pequeños, así que no ocupan mucho espacio en casas pequeñas o pisos.
- Son fáciles de usar incluso para los más pequeños.
- También puedes comprar orinales para pis más pequeños para los niños de más corta edad: aunque cualquier cuenco con bordes altos funcionará.

Inconvenientes:

Algunos diseños pueden ser un poco inestables, y el niño puede tirarlo o moverlo fácilmente.

Es perfecto para quienes siguen un método *Intensivo,* porque no necesitan orinales durante mucho tiempo, y para los bebés del enfoque *Precoz,* que necesitan orinales más pequeños.

SILLAS ORINAL:

Son orinales semejantes a un inodoro con un recipiente o adaptador extraíble, que se inserta en una silla o en una estructura grande de plástico.

Ventajas:

- Son más grandes y resistentes que los orinales tradicionales y, por tanto, más adecuados para un niño de más edad.
- El adaptador puede quitarse fácilmente para eliminar su contenido, lo que resulta más práctico para los padres y a menudo lo hace más fácil de mantener limpio e higiénico.

- Normalmente tiene «reposabrazos» y un respaldo, que dan mayor sensación de seguridad al niño, que se siente vulnerable o nervioso por tener que usar un orinal.

Inconvenientes:

Son más caros que los orinales tradicionales, lo que puede ser un problema para padres que crean que su hijo no lo usará durante mucho tiempo.

Es perfecto para niños que siguen un método *Sosegado,* y que necesitan modelos más grandes y resistentes.

ORINALES CON ACCESORIOS

¿Por dónde empezar? Puedes comprar orinales con forma de animales, que llevan el orinal en el lomo del animal; un orinal ecológico, que está hecho de plantas y se puede enterrar en el jardín cuando decidas dejar de usarlo para que se biodegrade y sirva para abonar tus flores; o bien otros con un acabado brillante y que parecen más adornos que orinales (para quienes busquen algo con estilo); hay orinales que permiten tirar de la cadena, con música o que cambian de color cuando el niño hace pis o caca; también encontrarás algunos con soporte para el papel higiénico, con forma de urinarios, para niños que quieran hacer pis de pie, o de inodoro; también puedes encontrar orinales con forma de coche y con ruedas, o bien unos que se convierten en taburete para llegar al inodoro.

En definitiva, la oferta de orinales es muy amplia, pero ¿qué razones podría haber para optar por un modelo más sofisticado?

Ventajas:

- El orinal que elijas se adaptará mejor a las circunstancias de tu hogar, al espacio disponible y al carácter de la familia.

- Puedes encontrar un orinal que encaje con las necesidades individuales de tu hijo, y que refleje sus miedos e intereses.
- Puedes usarlo para motivar a un niño que se muestra reticente apelando a su imaginación.
- Puedes encontrar un producto que te facilite la transición a un inodoro grande.

Inconvenientes:

No son baratos, y algunos ocupan bastante espacio. Asegúrate de elegir el orinal pensando en tu hijo, en lugar de dejarte llevar por características pensadas para llamar la atención de los padres.

Son perfectos para los niños que sigan un método *Puntual,* ya que conseguirán mantener su interés mientras siguen la rutina.

> «Pippa se negaba rotundamente a usar la silla orinal que había usado su hermana mayor, Ellie. Todo cambió en cuanto le compramos un orinal nuevo rosa, con una pegatina en el fondo que cambiaba de color. Le encantó y lo usó prácticamente sin problemas a partir de ese mismo día.»
>
> Karen, madre de Ellie, seis años, y de Pippa, cuatro.

COSAS ÚTILES PARA EL LAVABO

El objetivo es hacer que el «váter para mayores» sea cómodo, seguro y menos intimidatorio. Para empezar, recomendaría comprar un asiento reductor sencillo. Imagina intentar hacer tus necesidades colgado en una punta del inodoro, sin llegar a tocar el suelo...

ASIENTOS REDUCTORES PARA EL VÁTER

Puedes comprar un asiento de plástico que se pone encima del asiento de váter habitual, y que hace más pequeño el «hueco». Algunos tienen reposabrazos a los lados, para que tu hijo tenga algún sitio al que agarrarse, y un pequeño apoyo en la espalda. Otros tienen el asiento acolchado para que sean más cómodos, y los hay que tienen incluso una especie de pequeña escalera incorporada que llega hasta el asiento. Los encontrarás con diversos colores llamativos o con dibujos.

Ventajas:

- Facilitan la transición del orinal al váter y hacen que resulte menos intimidatoria.
- Te permiten omitir por completo la fase del orinal, si eliges hacerlo.
- Permiten a tu hijo sentarse en la posición correcta para hacer pis y caca, y les da sensación de seguridad.
- Pueden usarse en varios lavabos de tu casa, o de otros lugares.
- Son más fáciles de limpiar y desinfectar que un asiento de váter para adultos, y por tanto son más seguros para tu hijo.

Inconvenientes:

Asegúrate de comprar uno que encaje bien en el asiento de tu inodoro. Un adaptador que se deslice, se mueva o pellizque puede provocar que tu hijo le coja miedo al váter. Algunos modelos vienen con una pinza por debajo para que encaje perfecta y cómodamente.

Es bueno para los niños que siguen un método *Intensivo* y que usan directamente el váter.

ASIENTOS PARA EL VÁTER

Tienen un propósito similar al artilugio anterior, pero en lugar de ser un adaptador por separado, forman parte de un asiento de váter para adultos. El asiento más pequeño para el niño encaja dentro de la tapa del váter, y va con una bisagra igual que el asiento para adultos.

Cuando el niño necesite usar el váter, solo hay que soltar el asiento de la tapa y bajarlo sobre el asiento más grande.

Ventajas:

- Son discretos, y cuando se recogen, ni siquiera se ven cuando la tapa está bajada.
- Son cómodos para baños o lavabos con poco espacio, ya que no abarrotan la habitación con trastos del bebé.
- Promueven la sensación de que el niño realmente está usando el váter de adultos y de que ya es mayor.

Inconvenientes:

Tienes que cambiar tu asiento de váter habitual por esta nueva versión, que puede ser cara. Y, como no son portátiles, es probable que necesites comprar más de uno, y casi seguro un adaptador de plástico para usar fuera de casa. Puede ser una buena opción para usar en casa de los abuelos, ya que es un dispositivo discreto, allí no hay necesidad de usarlo todos los días ni de moverlo de sitio.

Es perfecto para niños que siguen un método *Sosegado* porque conseguirás que se sientan mayores.

> «Descubrimos que dejar puesto el asiento reductor del váter prácticamente todo el tiempo ayudó a los niños a acostumbrarse a ir al lavabo siempre que querían, sin que nosotros tuviéramos que prepararlo todo antes. Si un adulto quería usar el váter, simplemente tenía que quitarlo y volver a ponerlo después.»
>
> Tom, padre de Rebecca, nueve años, de Ashley, cinco, y de Vincent, tres.

OTROS ARTILUGIOS PARA EL LAVABO

Ya hemos hablado de cómo convertir el baño en una habitación apta para niños, pero, al final, lo mejor es que te agaches e intentes verlo todo a su altura. No obstante, una pequeña escalera o un taburete facilitarán el uso del inodoro y del lavamanos, y después puedes reutilizarlos como «taburete de cocina» para que la usen los jóvenes aprendices de cocineros cuando ya no la necesiten para el váter.

TABURETE

Sin duda, es imprescindible tener un pequeño taburete o escalera con un par de peldaños en el lavabo. Hay tipos muy diferentes y pueden ser de madera o de plástico. Los de plástico normalmente tienen la forma de una caja «hueca» y son baratas. Los de madera son más bonitos y duran más, pero son más caros. Hay algunas escaleras con un par de escalones que incorporan un pequeño espacio de almacenaje en el peldaño inferior para toallitas o libros. Otras tienes un peldaño inferior que se puede sacar, y que proporciona un área mayor de apoyo y que facilitan la subida.

Ventajas:

- Permiten que el niño use el váter y promueve su independencia.
- Convierten el inodoro de adultos en un objeto útil y menos intimidatorio.
- Animan a tu hijo a lavarse las manos adecuadamente en el lavamanos grandes, y también a lavarse los dientes.
- Pueden usarse en cualquier otra parte de la casa, siempre con vigilancia.
- Permiten a tu hijo sentarse correctamente en el váter, apoyar los pies en una superficie estable y empujar cuando necesite hacer caca.
- Dan tranquilidad y ayudan a tu hijo a sentirse cómodo en el váter.

Inconvenientes:

Permiten a tu hijo acceder a otras áreas del lavabo en las que podrías no haber pensado. ¿Puede usar tu hijo los escalones para abrir el armarito del baño o para alcanzar productos de limpeza o una ventana? Asegúrate de que revisas concienzudamente el baño y que tienes en cuenta la ventaja de altura que les da el peldaño. Y busca un taburete o escalera con una almohadilla antideslizante: si son de madera, pueden volverse resbaladizas si cae agua cuando el niño abra el grifo del lavamanos, o si lleva calcetines.

Es perfecto para niños que siguen un enfoque *Puntual* y que aprenden siguiendo una rutina en el baño.

> «Consigue un pequeño taburete: el nuestro es de madera y ha durado años. Ahora lo usamos en la cocina y a veces en el garaje cuando hacemos bricolaje.»
>
> Matt, padre de Luke y Perry, siete años.

TOALLITAS HÚMEDAS

Las encontrarás en farmacias y supermercados, junto al papel higiénico. Hay algunas marcas muy conocidas, pero las marcas blancas de los supermercados funcionan muy bien y no son tan caras. Algunas incluyen una caja de plástico de colores donde guardarlas, y que puedes poner en la cisterna o cerca del váter. Algunas marcas fabrican también una línea de jabones de colores para animar a los niños a lavarse las manos.

Ventajas:

- Sus dibujos atractivos animan a los niños a querer aprender a secarse el culito.
- Un toallita húmeda es más efectiva limpiando el culito después de hacer caca que el papel higiénico seco.

- Pueden ser de gran ayuda si un niño tiene una fisura o el culito generalmente irritado, porque son más delicadas para la piel.
- Pueden tirarse por el váter como el papel higiénico normal, así que no son ningún problema.

Inconvenientes:

Son un gasto añadido si las usas todos los días, y algunos padres las consideran una tontería innecesaria, al fin y al cabo, los niños hasta ahora no han necesitado un papel higiénico especial para ellos. También hay padres a los que les preocupa que contengan productos químicos detergentes que no sean adecuados para la piel de sus hijos.

ROPA INTERIOR

Tanto si optas por usar calzoncillos/braguitas de aprendizaje, desechables o no, o ropa interior de verdad, tiene que ser lo suficientemente diferente de sus pañales para decir: «¡Muy bien! Esto es otra cosa, solo para niños listos y mayores, y por eso ¡vale la pena mantenerlo limpio y seco!»

Aquí te damos algunas opciones:

ROPA INTERIOR DE APRENDIZAJE

Es ropa interior de tela, generalmente de algodón, con elásticos y una capa absorbente, y cubierta de plástico impermeable. Está diseñada para que parezca ropa interior normal.

Ventajas:

- Permite al niño sentirse mayor y lo motiva a progresar para usar ropa interior de verdad.
- Te da la tranquilidad de que un accidente no causará un lío.

- No elimina totalmente la sensación de humedad, como los pañales y los calzoncillos de aprendizaje desechables, así que significa que el niño notará la humedad y tendrá más incentivos para llegar al váter antes de hacerse pis.
- Es menos probable que el niño se vuelva dependiente de la ropa interior de aprendizaje que de los bragapañales.
- Puedes lavarlos y son duraderos, así que son menos costosos y mejores para el medio ambiente que los desechables.

Inconvenientes:

Hay que lavarla, lo que puede resultar un poco desagradable según el accidente. Además, algunos padres creen que puedes usar directamente ropa interior normal. Y el recubrimiento de plástico puede ser problemático si vives en un lugar con un clima cálido, o si el niño padece sarpullidos o irritación.

Es bueno para los niños que siguen un método *Puntual* y que van despacio pero con paso firme.

BRAGAPAÑALES *(PULL-UPS)*

Los bragapañales son una alternativa perfecta a los pañales normales, porque se pueden poner y llevar como ropa interior normal, y, no obstante, sirven para controlar la mayoría de accidentes que tu hijo pueda sufrir. Son muy útiles cuando estás haciendo un aprendizaje diurno pero no quieres empezar con el nocturno todavía: puedes comprar una marca que no le sea familiar de bragapañales y explicarle a tu hijo que es ropa interior para dormir y diferenciarla de los pañales diurnos.

Ventajas:

- Son fáciles de usar y efectivos.

- Son un paso adelante respecto a los pañales.
- Se tiran en lugar de lavarlos.

Inconvenientes:

Usar bragapañales durante un periodo largo resulta caro, y a algunos padres les preocupa el impacto negativo que puede tener en el medio ambiente. Además, un niño más mayor puede volverse perezoso en el aprendizaje si los lleva durante demasiado tiempo, porque eliminan la incomodidad de tener un accidente.

Son perfectos para los niños que siguen el método *Intensivo* que controlan durante las horas del día pero necesitan tranquilidad durante la noche por un tiempo.

ROPA INTERIOR «DE VERDAD» CON DIBUJOS DIVERTIDOS

Tienes a tu disposición mucha ropa interior con dibujos bonitos, y una vez que has llegado a este punto, vale la pena que busques algo que realmente guste a tu hijo, así tendrá el incentivo añadido de mantenerla bonita.

Ventajas:

- Es visualmente atractiva y, por tanto, es un incentivo psicológico.
- Pueden usarse como «recompensa» por mantener los pantalones secos durante cierto tiempo.
- Ayudará a que tu hijo se sienta más mayor y, por tanto, listo para completar su aprendizaje con éxito.

Inconvenientes:

Tendrás que lavar mucha más ropa si tu hijo todavía no está listo para usarla. Ayúdalo a tener éxito asegurándote de que está físicamente listo antes de llevarlo a comprar ropa interior. Busca los paquetes de varias unidades en las tiendas de bebés y supermercados: seguro que le gustarán, y además también tienen un buen precio, y pueden reemplazarse sin problemas si se manchan demasiado.

Son geniales para los niños que siguen un método *Intensivo* y que están decididos a llegar hasta el final.

> «La ropa interior con dibujos y diseños bonitos es genial. Basta con decir: "¿No querrás mojar a Spiderman, no?", y lo motivarás para que los mantenga secos.»
>
> Janet, cuidadora de niños, madre de Sarah, Debbie y David, ya mayores, y abuela de Jamie, dos años.

> «Emma se comportó como una niña de manual cuando la sobornamos sin problemas dejándole elegir sus propias braguitas de niña mayor (de Piolín, en su caso). El trato fue que si pasaba una semana sin mojarse las prácticas braguitas aburridas y sosas, podría llevar las bonitas.»
>
> Julie, madre de Emma, ocho años, y de Josh, cuatro.

ARTILUGIOS PARA VIAJAR

Obviamente las cosas que te lleves de viaje deben ser portátiles, flexibles y útiles. Desde luego, no siempre son productos necesarios: podemos llevar simplemente un orinal normal en el maletero del coche, y no uno plegable de viaje, pero depende de tus circunstancias y de lo lejos que vayas a viajar.

ORINALES DE VIAJE

Hay varios diseños disponibles. Algunos ocupan muy poco espacio al plegarlos, y son ideales para llevar en un bolso o incluso en un bolsillo grande. Otros llevan tapa para evitar los derrames en el coche. La mayoría funcionan poniendo una funda de plástico pequeña dentro del orinal, que puede atarse y desecharse del mismo modo que una bolsa para pañales. Algunos incluso se convierten en un asiento adaptador para inodoros, así que son geniales para usar como orinal o en un inodoro público, cuando estéis fuera de casa.

Ventajas:

- Permiten hacer una vida más flexible cuando viajas, especialmente en coche, porque pueden usarse junto a la carretera, en un aparcamiento, en una estación de servicio, o incluso en el asiento trasero o maletero del coche.
- Son limpios y pueden llevarse en un bolso si pasas el día fuera.
- Eliminan el estrés de los viajes, porque el niño no tendrá que aguantarse hasta la siguiente estación de servicio o lavabo público.

Inconvenientes:

Si solo vas a usarlo en el coche, no necesitas uno que se doble. Puede ser demasiado inestable para niños que se sienten vulnerables cuando se ponen en el orinal. Debes limpiarlos bien y tener unas cuantas toallitas antibacterianas a mano para evitar malos olores.

Es perfecto para los bebés del método *Precoz* que necesitan hacer pis a menudo cuando salen de casa.

ASIENTOS DE VÁTER PLEGABLES

Tienen exactamente la misma función que los adaptadores de váter convencionales, pero pueden plegarse en cuatro, y guardarse sin problemas en una bolsa.

Ventajas:

- Te permiten no tener que pasearte con un asiento de inodoro bajo el brazo.
- Te proporcionan tranquilidad y seguridad en lavabos públicos y en inodoros no familiares en vacaciones.

Inconvenientes:

Algunos asientos son tan delgados y duros para que tengan un tamaño muy reducido al doblarlos, que sacrifican la comodidad. Busca diseños que sean suaves y ligeramente acolchados y aun así se puedan plegar. Si tu hijo es mayor y no necesita el apoyo, pero sigue preocupándote la higiene en los lavabos públicos, puedes comprar fundas de váter desechables de papel y cubrir el asiento. También puedes conseguir manoplas desechables si les gusta agarrarse al asiento.

Es perfecto para los niños del método *Sosegado* que han pasado del pañal al inodoro, y necesitan un apoyo adicional.

PROTECTORES PARA LOS ASIENTOS DEL COCHE

Son fundas impermeables que se ajustan cómodamente al asiento del coche del niño y que evitan que se mojen los asientos si se produce algún percance. El asiento se sigue pudiendo abrochar bien y, por tanto, no afecta a su seguridad.

Ventajas:

- Impide que el asiento del niño huela mal y lo protege de la humedad.
- Son seguros y no comprometerán sus características de seguridad.
- También pueden usarse en la mayoría de cochecitos, así que amortizas el dinero.

Inconvenientes:

Asegúrate de que lo ajustas bien, o el pis se escapará. Lee las instrucciones y aplícalas al pie de la letra: no instales nada en el asiento del coche de tu hijo que impida abrocharlo bien, o que reduzca la fiabilidad de las correas.

Es perfecto para los niños del método *Precoz* que tienen más probabilidades de mojarse mientras duermen profundamente en los desplazamientos en coche.

> «No tenemos protector para el asiento del coche, pero sí usamos un protector de la cama desechable doblado por la mitad: es tan delgado que no levanta el asiento, ni interfiere en las hebillas. Ahora solo lo usamos si volvemos tarde a casa o si es probable que Mason se quede dormido.»
>
> Kerry, madre de Mason, cuatro años.

PRODUCTOS PARA LA CAMA

En este apartado, incluimos cualquier cosa que haga el deprimente proceso de cambiar la cama de noche menos traumático. No solo te permitirá manejar las interrupciones del sueño, sino que también disminuirá los efectos psicológicos que los accidentes nocturnos pueden tener en tu hijo. Las investigaciones han demostrado que reaccionar con ira y castigar a un niño que ha mojado la cama no mejora la situación, sino que, normalmente, la empeora. Por tanto, es fundamental poder cambiar la cama rápida y fácilmente.

PROTECTORES DESECHABLES

Para mantener los protectores desechables en su lugar se meten los extremos debajo del colchón por ambos lados. No cubren toda la cama: simplemente forman una amplia tira de protección por debajo de la zona de la cintura, desde el final de la espalda hasta las rodillas. Se ponen por debajo de la sábana normal, o pueden usarse entre las dos sábanas, de manera que si la sábana de arriba se moja de pis, puede quitarse, y la de abajo sigue seca.

Ventajas:

- Aunque tu hijo lleve bragapañal para dormir, se puede escapar alguna gota y cambiar un protector es mucho más fácil y menos dramático que tener que volver a hacer toda la cama.
- En el caso de los niños que realmente quieren intentar llevar ropa interior normal de noche, usar un protector para la cama es una seguridad añadida para los padres y también aporta tranquilidad al niño.
- Evitan que el pis llegue a mojar el colchón, que es difícil de limpiar y puede oler mal.

Inconvenientes:

Si tu hijo se moja todas las noches, puede empezar a resultar caro. Son mejores para niños que solo tienen accidentes ocasionales.

Son perfectos para niños que siguen un método *Sosegado,* que empiezan a entrenarse tarde, pero no quieren que los traten como a bebés.

FUNDAS IMPERMEABLES PARA EL COLCHÓN

Son sábanas ajustables con un recubrimiento plástico impermeable que tapan todo el colchón, y que se ponen debajo de la sabana bajera normal de tu hijo. A menudo tienen tejido de rizo o de algodón suave por el lado superior para que resulten más cómodas.

Ventajas:

- No hay problema si se produce un charco grande y gotea por un lado de la zona protegida, porque toda la cama está cubierta.
- Pueden lavarse y, por tanto, resultan menos caras, y probablemente más respetuosas con el medio ambiente que los protectores desechables.
- Parece una sábana normal y, a menudo, el niño ni se da cuenta de que está ahí o para qué sirve, lo que puede ser una ayuda si tu hijo se siente avergonzado por sus escapes nocturnos.

Inconvenientes:

Ten en cuenta que están forradas con plástico y pueden dar calor al niño y pegársele, especialmente en un lugar de clima cálido; tampoco deberías usarla si tu niño tiene fiebre. Algunos modelos no se pueden secar en la secadora, así que necesitarás dos para poder cambiarlas.

Serán de gran utilidad para proteger camas familiares en las que duermen bebés que siguen un método de aprendizaje P*recoz:* puedes comprar fundas impermeables para colchones de cama doble y extragrande.

> «Usa toda la ayuda moderna disponible, pero no le des mucha importancia a tener que ponerle ropa interior de aprendizaje. Si le dices: "No la necesitarás cuando seas una niña mayor" puedes dañar su autoestima. Si no tienes una funda impermeable para el colchón, un protector puede ser un recurso útil. Limítate a doblarlo por la mitad o en tres partes y ponlo transversalmente debajo de las caderas del niño. Si se moja, puedes quitarla sin tener que volver a hacer la cama y perturbar su sueño.»
>
> Annie, madre de la autora y abuela de Evie, seis años, y de Charlie, dos.

ILUMINACIÓN

Una buena iluminación es muy importante para que tu hijo esté dispuesto a visitar el lavabo de noche. Debe ser lo suficientemente tenue para que pueda conciliar el sueño sin problemas, pero también lo bastante fuerte como para iluminar los escalones y las puertas, y para darle seguridad. Puedes poner unos puntos de luz en los enchufes, que dan un resplandor muy suave, en la habitación del niño, en un pasillo o en un distribuidor. Si el niño es mayor, puedes dejarle usar una luz que se desprenda de una base para sus visitas al lavabo. Hay incluso luces «inteligentes» que funcionan a partir de la luz principal del techo, y que pueden ser adecuadas para cubrir tus necesidades: puedes programarlas para que den una luz suave cuando el niño se levante por la noche y tenga que hacer una visita al lavabo; también pueden disponerse para que iluminen ligeramente el hueco de las escaleras y los rellanos.

Ventajas:

- Una luz adecuada puede convencer a un niño reticente a ir al lavabo de noche y aventurarse fuera de su dormitorio.
- Hay lámparas con diseños atractivos, muchos de los cuales están pensados para que las use el propio niño.

Inconvenientes:

Un niño necesita tener cierta oscuridad por la noche para dormir bien y para que el cerebro se regenere. Asegúrate de que la luz no es demasiado fuerte. Las luces suaves y tenues son mejores que las brillantes, las resplandecientes o las que tienen mucho color. Si estás pensando en usar luces decorativas o cuerdas de luces, asegúrate de que están aprobadas para su uso en dormitorios de niños: el cable debe ser seguro y no calentarse. Mantén los cables fuera del alcance de los niños, y nunca uses las lámparas pensadas para usarse en el jardín o como adornos de Navidad.

«Marnie tenía un acuario en su habitación con retroiluminación que daba cierto resplandor de noche, pero no era demasiado brillante. También le gustaba mirar a los peces mientras se quedaba dormida.»

Maxine, madre de Marnie, 11 años, y de Freddy, cinco.

LIBROS PARA EL APRENDIZAJE DEL USO DEL ORINAL

Hay muchos cuentos en las librerías que tratan sobre dejar los pañales o aprender a usar el orinal. Muchos incluyen sus propias tablas de pegatinas o DVDs. Busca algunos cuentos apropiados para la edad y el sexo de tu hijo. Tienes dos opciones principales:

CUENTOS

Son libros infantiles de cartón o ilustrados cuya temática o personajes están relacionados con dejar de usar los pañales. Cuenta la historia de un personaje y pueden centrarse en un tema particular, como el miedo a usar un váter grande, o la higiene, y suelen estar ilustrados con dibujos de colores como cualquier otro libro infantil.

Ventajas:

- Les resultan atractivos y tienen un aspecto familiar.
- Alimentan la imaginación del niño y le presentan la información de una manera muy delicada, sin sermonearlos.
- A menudo los personajes de la historia son animales o juguetes, por lo que son menos directos que los libros protagonizados por niños y niñas.
- ¡Son divertidos!

Inconvenientes:

Asegúrate de que el tema del orinal no está demasiado disimulado. Algunos enmascaran tanto la cuestión con fábulas sobre animales y personajes fantásticos que los niños más pequeños simplemente no captan el mensaje. Asegúrate de que la historia es simple y clara.

LIBROS DIVULGATIVOS

Estos libros resultan más realistas. A menudo, incluyen fotografías con niños de verdad sentados en sus orinales, lavándose las manos, etcétera. Tienen menos historia, ya que usan frases sencillas para describir las acciones de los niños que aparecen en las fotografías.

Ventajas:

- A los niños les gusta ver las fotografías de otros niños.
- Los niños se identifican con los niños del libro, y quieren emularlos.
- Las fotografías son claras e informativas. Muestran al niño cómo hacer las cosas y qué se espera de él, lo que facilita las cosas.

Inconvenientes:

Es posible que un niño que se muestre muy reticente a dejar los pañales no quiera ver un libro como ese contigo. En esos casos, quizá sea mejor leerle un libro con una historia que tenga que ver con el tema, pero con consignas menos obvias y que apele más a su imaginación.

Son perfectos para los niños que siguen un método *Intensivo* o para los que necesitan tener una idea clara de lo que se les pide que hagan rápidamente.

> «Acabamos de comprarle a Sara un libro sobre dejar los pañales que tiene fotografías de una niña usando el orinal, y le parece divertidísimo. Le encanta. Una amiga mía también me sugirió que sentara

a la niña en el orinal y le pusiera delante un espejo bajo para que pudiera verse: probamos a hacerlo y vimos que se quedaba totalmente absorta. Así conseguimos mantenerla sentada allí mucho más tiempo que de otro modo.»

Gemma, madre de Sara, dos años, y de Phoebe, nueve meses.

JUGUETES Y MUÑECAS

Le compramos a mi hija Evie una muñeca que hacía pis y lo cierto es que le pareció bastante extraña. Le alarmaba bastante el agujero del culito por el que salía el «pis», y después de un par de días de sentarla bastante patéticamente en un orinal de juguete al lado del grande de Evie, la pobre muñeca ya casi no llevaba ropa y había quedado totalmente inservible para el aprendizaje.

Sin embargo, muchos padres afirman que funcionan. A las niñas, especialmente, les parecen bastante fascinantes, aunque no puedo asegurar si esa fascinación tiene que ver con el uso del orinal, o, simplemente, con tener una muñeca nueva. Por supuesto, las muñecas vienen con accesorios, como su propio orinal de juguete, de manera que las niñas pueden usarlas para hacer juegos de rol con ellas.

También hay muñecos para niños, que hacen pis por el pene.

Ventajas:

- Puedes involucrar a un niño en el proceso de hacer pis en un orinal.
- Permiten al niño expresar mediante un juego las preocupaciones o miedos que les puede provocar tener que aprender a usar el orinal o el váter.
- Pueden servir de distracción al niño mientras está sentado en un orinal o en el váter, y se quedará más tiempo y será más fácil que el niño llegue a hacer algo.

Inconvenientes:

La efectividad de los juguetes depende totalmente del niño; pero debes tener en cuenta que el niño tiene que llenar la muñeca de agua para que salga, lo que puede ser perjudicial para tus alfombras y una molestia para el padre que tenga que supervisar todo el proceso. Asimismo, te aconsejamos que evites las muñecas a las que realmente se pueda alimentar con un tipo especial de pasta y que después hacen caca. Algunos padres me han contado historias relacionadas con esas muñecas y que tuvieron resultados explosivos.

> «Tenemos amigos que compraron un muñeco que hace pis. Para mi gusto, tenía demasiados detalles anatómicos, pero a sus hijos (tienen un niño y una niña) les encantó. Nuestros hijos le dieron un par de tirones a su colita y después lo ignoraron.»
>
> Jen, madre de Lucas, cuatro años, y de Edmund, dos.

INCENTIVOS

Por supuesto, puedes limitarte a rescatar alguna vieja fiambrera del fondo de un armario, llenarla con los premios que decidas y no romperte más la cabeza. Sin embargo, muchos padres tienen una gran fe en las tablas de pegatinas, y es cierto que, a estas edades, los niños se sienten muy motivados por las recompensas y las alabanzas. Aunque compres una de esas tablas, busca una manera de que tus hijos la personalicen tanto como sea posible: déjales que la peguen en la pared, que le añadan detalles o que dibujen en ella. Y úsala con regularidad: si pasas un par de días sin usarla, tu hijo pensará que no le das importancia y también se sentirá menos comprometido.

TABLAS DE PEGATINAS

Por supuesto, puedes ayudar a tu hijo a dibujar una, pero también se pueden comprar algunas geniales, decoradas con princesas, caballeros, dinosaurios y con todos los dibujos que se te puedan ocurrir. Necesitas decidir exactamente por qué conseguirá tu hijo una pegatina. ¿Después de que haga pis? ¿Cada vez que haga caca? ¿Por un día entero o una noche sin hacerse pis encima? Sé coherente y no te olvides de lo que decidas: ¡tu hijo no lo hará!

Ventajas:

- Ayudarán a tu hijo a «responsabilizarse» del proceso y de su propio éxito.
- Aumentan la autoestima y recompensan el esfuerzo.
- Proporcionan pruebas claras y evidentes de sus éxitos, que después pueden enseñar a mamá y papá, o a los abuelos, por ejemplo.
- Dan a tu hijo un objetivo.

Inconvenientes:

Pueden ser un poco caras. Si no te apetece echar mano de los lápices de colores y crear tu propio cuadro, puedes descargarte uno gratis de Internet. Son una muy buena opción, porque no te cuestan dinero, y a menudo llevan dibujos que tu hijo puede pintar, y así los personalizan.

Son perfectos para los niños de un método *Puntual* y que sigan una rutina, porque mantienen su interés y su motivación.

> «Teníamos un libro que incluía una tabla de pegatinas para Cara, aunque acabó dibujando ella uno con su abuela y lo decoró con brillantina y todo tipo de adornos. Como estaba muy orgullosa de su trabajo, tenía muchas ganas de rellenarlo con pegatinas. Así que fue mucho más efectivo que el que habíamos comprado.»
>
> Emma, madre de Cara, ocho años.

COSAS DE NIÑAS Y COSAS DE NIÑOS

Muchos de los productos mencionados arriba sirven tanto para niños como para niñas, pero hay un par de cosas que están destinadas específicamente a algún género en particular.

NIÑAS

- Si a tu hija le gustan los juegos de rol y se rodea de juguetes, es posible que se divierta con una versión en miniatura de ella misma. Puedes comprarle un libro que venga con una muñeca pequeña y un orinal de juguete, y usarla mientras la niña esté sentada en el orinal o en el inodoro, donde una muñeca más grande sería engorrosa o difícil de manejar.

NIÑOS

- Puedes echar unas pelotas especiales en el agua de la taza, para que tu hijo intente apuntar su chorro de pis hacia ellas: es una buena manera de mejorar su puntería. También puedes conseguir algún instrumento de plástico que se sujete en el asiento del váter de manera que quede colgando delante de él, y en el que pueda hacer pis, como si fuera un mini orinal. Después tira directamente el contenido al váter, sin desprenderlo.

Resulta útil para los niños que quieren hacer pie de pis, pero que no son lo suficientemente altos para apuntar al váter.

¿Y PARA EL NIÑO QUE LO TIENE TODO...?

¿Qué tal el papel higiénico parlante? Sí, en serio: hay soportes para papel higiénico en el que puedes grabar tu propia voz. ¿Tu niño es reacio a lavarse las manos? ¿Por qué no probar que el rollo de papel higiénico le recuerde «Es hora de lavarse las manos»? O quizá grabar un mensaje de ánimo como «Genial, Lucy, ¡bien hecho!».

En definitiva, durante el aprendizaje puedes usar los artilugios que quieras. Tú decides si son muchos o pocos. Algunos son divertidos, otros son bastante esenciales y algunos son clásicos. Espero que estas últimas páginas te hayan dado una visión general de las opciones que tienes a tu disposición.

Unas palabras finales

«Muy bien, ya está, una caca parlante
es demasiado para mí.»

Eric Cartman (South Park).

Es sorprendente cómo algunas funciones corporales básicas pueden darnos tantos temas de conversación, tantos motivos para llorar, para tirarnos del pelo, para compartir historias, para esconder secretos y, con suerte, en algunas ocasiones, incluso para reír.

Este libro es para los padres a los que me gusta llamar «reales», y no para esos padres modélicos a cuya altura intentamos estar todos, que siempre van vestidos en tonos neutros, como el blanco inmaculado o el beis, que nunca han probado un trozo de pollo frito, y que viven en un hogar sacado de una revista de decoración, con suelos resplandecientes de madera restaurada, donde los dormitorios de los niños están adornados con encajes bordados a mano, en lugar de con montones de juguetes de plástico, y donde nadie nunca ha tenido que recuperar un par de pantalones húmedos de debajo de la cama del pequeño.

Espero que este libro te haya ayudado a encontrar el método que necesitabas para alcanzar la deseada vida libre de pañales. Esperamos haber mostrado todas las opciones, y haberte dado algunos consejos geniales para hacer lo que quieras y de la manera que quieras.

Y, sobre todo, espero que te haya recordado que debes tener confianza en ti mismo. Lee el libro, escucha a tus amigos, pregunta a tus compañeros y a tus padres, ignora a la madre pesada del parvulario que nunca prueba las galletas de sus hijos, pero, sobre todo, confía en ti mismo.

Tú sabes mejor que nadie lo que conviene a tu familia, y nadie conoce a tu hijo mejor que tú. Es tu vida. En definitiva, espero que el método elegido para el aprendizaje de tu hijo te funcione a la perfección, pero recuerda que, al margen de los muchos charcos que tengas que fregar, por muchas veces que falle la puntería, por muy a menudo que se olvide de ir al baño, o por muchas veces que tengas que comprar un limpiador para la alfombra... esta fase no dura para siempre.

Un día tu pequeño se hará mayor. Y será capaz de ir al lavabo cuando quiera. Sin problemas. O prácticamente (ya veremos cómo lidiar con adolescentes ebrios y con adultos invitados a una boda cuando llegue el momento).

¡Buena suerte! ¡Y no te dejes vencer por los charcos!

Agradecimientos

Como siempre, debo dar las gracias a todos los padres que han compartido sus consejos y experiencias conmigo, y que han demostrado ser honestos, divertidos y tremendamente listos. Mis familias de apoyo eran: Jane, Ant y Lola; Nikki, Gary y George; Gill, Alex, Stanley y Poppy; Sharon, Mark, Callum, Vincent y Lauren; Anton, Dougal, Jake, Eleanor, Buzz, Lara y Bibi; Sandra, Graham, Ben y Toby; Julie, Spencer, Emma y Josh; Mary-anne, Nigel, Kitty y Finn; Annie, Andrew, Tom y Olivia; Emma, Arif, Aisha, Anisa y Omar; Barbara, Mark, Kate y Victoria; Clare, Dave, Emma, Oliver, Evie y Hannah; Victoria, Justin y Elliott; Tania, Tom, Rebecca, Ashley y Vincent; Karen, Darren, Ellie y Pippa; Jill, David y Jessica; Jen, Dan, Lucas y Edmund; Emma, James y Cara; Jenny, Matt, Luke y Perry; Liat y Luca; Janet, Paul, Sarah, Mark, Jamie, Debbie y David; Kerry, Jon y Mason; Maxine, Dave, Marnie y Freddy; Gemma, Richard, Sara y Phoebe; Jo, Phil, Archie y Charlotte; Kate, Andy, Joe y Eddie.

Gracias también a June Rogers, que participó con entusiasmo en este libro y cuya experta opinión no tiene precio y es muy apreciada.

Gracias también a Beth de White Ladder, por sus acertados consejos.

Quiero darle las gracias también a Olivia por haberme ayudado a encontrar colaboradores con una disposición verdaderamente buena, así como a toda la comunidad de St Andrew's School, Much Hadham, especialmente a los padres de los amigos de Evie, cuyos hijos han pasado muchas horas de juegos en nuestra casa.

También debo dar las gracias a mi maravillosa familia, incluyendo a mi madre Annie, y a Colin, que tanto tiempo nos dedicó y que se quedó al cargo mientras yo escribía; a mi suegra Christine, que, junto con Maxine, Dave, Marnie, Freddy y Estelle, ayudó a mantener entretenidos a mis pequeños los sábados cuando se acercaba la fecha de entrega; a mi hermano Tony, a mi hermana Lindsey, a mi hermano Jeff; y por supuesto a *Lily*, mi perrita, que me sacaba de casa para perseguir pelotas por el campo cuando el bloqueo de la escritura podía conmigo.

Gracias a mi madrina Gloria, que es, y siempre será, una inspiración.
Muchas gracias también a «Nik-Nik», que sigue haciéndome reír y que cuida de mi niño, quien la quiere mucho.

Y sobre todo, gracias a mi marido Lewis, que pone a su familia por encima de todo y nos mantiene unidos, y a mis maravillosos hijos Evie y Charlie, que lo son todo en el mundo.

Por último, gracias a vosotros por leer *Operación «fuera pañales». La guia definitiva.* Os deseo un feliz futuro sin pañales. ¡Buena suerte!

Puedes ponerte en contacto con Jo en su página web: www.jowiltshire.com.

ÍNDICE

PARA MÁS AYUDA E INFORMACIÓN

Puede ponerse en contacto con las siguientes asociaciones o intituciones:

Observatorio Nacional de la Incontinencia
http://www.observatoriodelaincontinencia.es/

En la web de la Asociación de familiares y pacientes con enuresis, encontrará mucha información, consejos de expertos, testimonios y las direcciones de los centros médicos de referencia en España en el tratamiento de la enuresis:

http://www.afypen.org/asociacion/index.php

En la página de la Asociación Española de Pediatría de Atención primaria, también encontrará información y consejos de expertos:

http://www.aepap.org/